A ESCUTA DO CORPO

CIP-BRASIL. CATALOGAÇÃO NA PUBLICAÇÃO
SINDICATO NACIONAL DOS EDITORES DE LIVROS, RJ

M592e

Miller, Jussara
A escuta do corpo : sistematização da técnica Klauss Vianna / Jussara Miller. - [4. ed., rev.]. - São Paulo : Summus, 2022.
128 p. ; 21 cm.

Inclui bibliografia
ISBN 978-65-5549-062-6

1. Vianna, Klauss - 1928-1992. 2. Dança - Estudo e ensino - Brasil. 3. Corpo humano - Aspectos simbólicos. I. Título.

22-75486 CDD: 782.820981
CDU: 792.8(81)

Meri Gleice Rodrigues de Souza - Bibliotecária CRB-7/6439

A ESCUTA DO CORPO

SISTEMATIZAÇÃO DA TÉCNICA KLAUSS VIANNA

Jussara Miller

summus editorial

A ESCUTA DO CORPO
SISTEMATIZAÇÃO DA TÉCNICA KLAUSS VIANNA

Editora executiva: **Soraia Bini Cury**
Assistente editorial: **Michelle Campos**
Capa: **Alberto Mateus**
Projeto gráfico e diagramação: **Crayon Editorial**
Foto da orelha: **Christian Laszlo**
Foto da capa: **Fernando Laszlo**
Desenho da capa: **Bukke Reis**

Summus Editorial
Departamento editorial
Rua Itapicuru, 613 – 7º andar
05006-000 – São Paulo – SP
Fone: (11) 3872-3322
http://www.summus.com.br
e-mail: summus@summus.com.br

Atendimento ao consumidor
Summus Editorial
Fone: (11) 3865-9890

Vendas por atacado
Fone: (11) 3873-8638
e-mail: vendas@summus.com.br

Impresso no Brasil

A meu pai, Durvalino Miller (*in memoriam*);
coincidentemente ou não, no ano de sua
partida, eu me encantei pela dança.
Ao professor e amigo Rainer Vianna (*in
memoriam*), por ter alimentado esse encanto.

SUMÁRIO

PREFÁCIO

Na defesa de sua tese de mestrado, intitulada *A escuta do corpo – A sistematização da técnica Klauss Vianna*, Jussara Miller descreve, de maneira sistemática, seu roteiro de criação com temas corporais, como apoios, oposições, vetores de força, impulsos, articulações, resistência, movimento parcial e total.

O que a autora traduziu em palavras é tão claro como sua dança. Como professora e pesquisadora da técnica, Jussara participou do processo de aprendizagem ao lado de Rainer Vianna – sempre presente e sempre questionadora. Em seu acolhedor Salão do Movimento, em Campinas (SP), reúne alunos para aulas, pesquisas e novas criações coreográficas.

A formação em dança é, conscientemente, uma pesquisa permanente – um estudo plural, transformador, uma proposta de vida para aqueles que a ela se dedicam. Jussara, em 2002, elaborou e realizou em Campinas o projeto Ciclo Klauss Vianna, uma homenagem a Klauss. O evento realizou-se com a participação de profissionais de diferentes áreas do conhecimento. Com sua competência e determinação, conseguiu ultrapassar todos os obstáculos e realizou novo Ciclo Klauss Vianna em 2005, ampliando as áreas do conhecimento – teóricas e práticas.

Rainer e Jussara, como sonhadores, mestre e aluna, sublinham a dança imprimindo-lhe novos contornos. O mestre, observando, sistematizando, vivendo e sonhando, conduziu a aluna no território – prático e reflexivo – ilimitado do corpo: a dança. Rainer, herdeiro, trabalhador, pensador, artista, professor, amigo, filho, pai, companheiro, discípulo apaixonado de Klauss, viveu, dissecou, analisou os processos e os procedimentos, facilitando o entendimento e a divulgação dessa legítima técnica brasileira.

Meu querido companheiro Klauss foi um mestre porque viveu... e vive por meio da liberdade manifesta nas realidades que criou, em cada aula, em cada espetáculo, em nossa família, em nosso convívio. Homem que viu o ser humano antes dos papéis, propondo investigações corajosas e simples, e por isso incitou, orientou, alimentou e incentivou novos olhares sobre o corpo, sobre uma dança a ser desbravada como a investigação do ser e de ser.

Jussara Miller, coreógrafa, bailarina, professora, nos caminhos encontrados ao lado de seus mestres Klauss e Rainer, conquistou um bem muito maior: a sua pessoa (que, portanto, tem muito a contribuir nos oferecendo esta importante etapa de sua vida), cheia de vontade e paixão, publica *A escuta do corpo*. Tenho certeza de que o conteúdo deste livro em muito contribuirá para a maior consciência e maior percepção do corpo que dança e se movimenta.

É com muita alegria que participo deste momento especial.

• *Angel Vianna*

APRESENTAÇÃO

"Lançar as sementes no corpo de cada um [...]"
Klauss Vianna (2005, p. 146)

Por aproximadamente 40 anos, o professor e pesquisador Klauss Vianna (1928-1992) dedicou-se a um trabalho de observação e pesquisa das estruturas do corpo e do movimento humano, posteriormente sistematizado por seu filho, Rainer Vianna (1958-1995), com a colaboração de sua nora, Neide Neves, o que resultou na Técnica Klauss Vianna.

Este livro é uma reflexão sobre a minha vivência como pesquisadora dessa técnica, e analisa tanto seu processo didático quanto a influência e a orientação dessa formação sobre o processo criativo.

Em 1985, quando ingressei na primeira turma da Faculdade de Dança da Unicamp, comecei a receber, indiretamente, influências de alguns professores que foram alunos de Klauss Vianna, tendo início, já nesse momento, a identificação com suas ideias. Busquei então o seu curso de férias na Escola de Dança Ruth Rachou, em São Paulo, em janeiro de 1986.

Nesse curso de férias, fiquei intrigada com a simplicidade de suas aulas, pois, apesar de o curso denominar-se Balé Clássico, ficávamos experimentando os espaços articulares, os apoios dos pés e as possibilidades da coluna vertebral com enfoque no corpo, ao qual não estava habituada. O trabalho com os pés, tocando-os, abrindo os espaços entre os ossos metatársicos, despertava a percepção daquela parte do corpo.

Depois desse curso, como se fosse uma neófita, visualizei uma "trilha corporal" e fui caminhando conforme as minhas necessidades de pesquisadora do movimento, pois, a partir do momento em que entra em contato com a Técnica Klauss Vianna, o aluno torna-se um pesquisador do corpo; não um reprodutor de movimentos, mas um criador, um estudioso, um dançarino, um ser humano em autoconhecimento, e tudo isso se reúne em um único núcleo: o corpo a corpo com o próprio corpo.

Em 1988, iniciei o curso regular com Rainer Vianna e, um ano depois, com Klauss Vianna, sem interromper as aulas com Rainer. Na época, os dois professores davam aulas na Academia Steps, em São Paulo. Com Klauss, tive aulas nos seus últimos anos de vida, e com Rainer, por oito anos, até a sua partida.

Em 1993, fui convidada por Rainer Vianna a dar aulas na Escola Klauss Vianna, onde comecei uma nova etapa em minha trajetória no campo da dança. A Escola Klauss Vianna foi fundada por Klauss Vianna, Rainer Vianna e Neide Neves, no início de 1992, em São Paulo. Oferecia o Curso de Formação Profissional da Técnica Klauss Vianna, capacitando o aluno para o exercício profissional na dança.

Como professora, pesquisadora e colaboradora, passei a trabalhar ao lado de Rainer, participando do processo didático da Técnica Klauss Vianna. Esse foi um aprendizado significativo, pois, mediante os estudos didáticos, a prática das aulas que eu ministrava mudou, reestruturou-se. Tendo iniciado em 1987 o caminho como professora de dança, eu não tinha uma didática definida, pois me pautava nas aulas de que mais gostava e com as quais me identificava, fazendo uma montagem de várias técnicas corporais consideradas interessantes e enriquecedoras – mas, de certa forma, sem que houvesse um eixo bem fundamentado. Essa observação, entretanto, não desmerece a qualidade das aulas que ministrei, vistos os resultados positivos observados nos alunos. Entretanto, eu parecia estar vivenciando um grande quebra-cabeça, no qual encaixava as peças conforme o momento, mas sempre com a sensação de que faltava alguma peça que permitisse visualizar uma estrutura de ensino.

Sob a orientação de Rainer, os estudos didáticos me ajudaram a confiar em minha ação, permitindo que eu passasse a elaborar as aulas de forma não somente intuitiva, mas consciente e crítica. A peça principal do quebra-cabeça fora encontrada. "Há diferença entre um aluno que se transforma em professor e outro que estuda para ser professor", afirmava Rainer Vianna.

Infelizmente, com o súbito falecimento de Rainer em agosto de 1995, a Escola Klauss Vianna fechou as portas. Como professoras da escola e diretoras da Cia. de Dança Quase Mudo[1], Marinês Calori e eu tínhamos uma parceria e, diante da fragilidade do momento, nos unimos para dar sequência ao trabalho iniciado na escola. A continuidade do curso aconteceu no Estúdio Nova Dança, em São Paulo, onde a turma que iniciara o processo na Escola Klauss Vianna concluiu o curso de formação da Técnica Klauss Vianna.

Em 2001, inaugurei em Campinas o Salão do Movimento, espaço de dança e de educação somática que proporciona atividades cujo foco é a reflexão sobre o corpo e o estudo do movimento com a aplicação da Técnica Klauss Vianna. Trata-se de um território tanto de ensino quanto de pesquisa e criação, no qual ministro aulas a estudantes e a profissionais da saúde, das artes cênicas em geral e a todos os interessados em conhe-

1 O grupo existiu entre 1994 e 1999 e fez apresentações em diversos eventos de dança do país. Integraram-no os bailarinos Andréa Fraga, Dafne Michellepis, Érica Rossi, Jorge Balbyns, Júlia Muniz, Jussara Miller, Marinês Calori e Pedro Moreno.

cer e melhorar seu desempenho corporal e sua qualidade de vida – inclusive crianças, que, por meio de atividades lúdicas, passam a conhecer seu corpo e suas possibilidades.

Essa abrangência de público é uma característica da Técnica Klauss Vianna, pois, estando todos com o propósito de aprender a **escutar** e **respeitar** o próprio corpo, é possível a participação de bailarinos, profissionais liberais, executivos, músicos, atores etc. em uma mesma aula. Nesse ambiente, não há espaço para que se instaurem ou se instiguem comparações e competições por vezes presentes em aulas de dança. Na prática Klauss Vianna, a proposta é que cada um esteja focado no (re)conhecimento do próprio corpo, compartilhando com o outro suas experiências e vivências corporais.

Este livro está dividido em quatro capítulos. No primeiro, abordam-se os movimentos dos Vianna, apresentando a trajetória de cada um deles e sua contribuição para a transformação da dança e do teatro no Brasil. No segundo, explicita-se a sistematização da técnica, com base nos estudos didáticos com Rainer Vianna, de quando fui professora da Escola Klauss Vianna, e também na minha vivência como professora dessa técnica. O processo criativo de uma obra coreográfica é descrito no terceiro capítulo, tendo como base a utilização dessa técnica, tanto na preparação corporal quanto na criação. Finalmente, no quarto capítulo são tecidas algumas considerações finais.

A escuta do corpo é um dos princípios da Técnica Klauss Vianna: um olhar para dentro, para que o movimento se exteriorize com sua individualidade, traçando um caminho de dentro para fora, em sintonia com o de fora para dentro e com o de dentro para dentro, criando, assim, uma rede de percepções.

INTRODUÇÃO

A dança da vida

"Não posso esquecer que estou trabalhando com seres humanos, não com bailarinos, ou esportistas ou professores, ou donas de casa. São seres humanos que buscaram a minha aula porque acreditavam que eu lhes poderia apontar caminhos. O que busco, então, é dar um corpo a essas pessoas, porque elas têm coisas a dizer com seu corpo. Por isso não faço qualquer proposta de movimentos que não tenham aplicação na vida diária. Quero que o trabalho seja simples e natural. [...] O que importa é lançar as sementes no corpo de cada um, abrir espaço na mente e nos músculos. E esperar que as respostas surjam. Ou não. Todo esse trabalho tem qualquer coisa de paradoxal: falo sobre coisas que devem ser sentidas e não pensadas."

KLAUSS VIANNA (2005, p. 146-47)

Klauss Vianna estimulou o dançar de cada indivíduo, anunciando que dança é um modo de existir; é, portanto, vida, um corpo não automatizado, um corpo que se escuta. Ele não limitou a dança como privilégio de dançarinos; ao contrário, estimulou a expressividade de todos, preservando e (re)descobrindo o movimento de cada um. Dessa forma, ele não restringiu o seu trabalho a um instrumento apenas para as artes cênicas, mas também para as atividades da vida diária, como meio de prevenir tensões e estresses desnecessários. Para o artista cênico, essa técnica permite a criação de uma nova relação com o corpo, na medida em que se propõe investigar os princípios do movimento. O cuidado e o respeito com o corpo são uma premissa neste trabalho e servem de subtexto para a descoberta ou redescoberta do corpo próprio.

> Mas, se a dança é um modo de existir, cada um de nós possui a sua dança e o seu movimento, original, singular e diferenciado, e é a partir daí que essa dança e esse movimento evoluem para uma forma de expressão em que a busca da individualidade possa ser entendida pela coletividade humana. (Vianna, 2005, p. 105)

Os tópicos trabalhados nas aulas da Técnica Klauss Vianna não se reduzem ao virtuosismo nem ao acúmulo de habilidades corpóreas, mas envolvem o **pensamento** do corpo, que é um "estar presente" em suas sensações, enquanto se executa o movimento, sentindo-o e assistindo-o, tornando-se, dessa forma, um espectador do próprio corpo.

Essa atenção não se dá somente entre as quatro paredes da sala de aula, mas na vida. É um convite a perceber o corpo na rua, no trabalho, em casa. Portanto, a destreza técnica não é o foco, como em algumas aulas de dança. É uma prática corporal que dá espaço à criatividade, em que são trabalhados elementos técnicos necessários para o corpo, resultando na melhor execução e na expressão do movimento. A proposta dessa abordagem é o uso da técnica como construção de um corpo próprio, buscando um caminho para acessar o próprio corpo, singular, que é diferente do corpo do outro.

Neste livro, apresentar a Técnica Klauss Vianna como um processo de descobertas, constantemente reformuladas, permite buscar respostas para novas e antigas indagações, considerando que as verdades, com o tempo, transformam-se em outras verdades. Falo de princípios e não de regras fixas, trilhando, assim, o caminho apontado por Klauss Vianna: "Não decore passos, aprenda um caminho!"

Klauss não se preocupou em sistematizar a pesquisa de ensino. Ele deixou claro que, como criador, não tinha interesse em entrar na análise didática de seu trabalho, afirmando que alguns nascem para criar, cabendo à geração posterior analisar e estruturar o que foi criado, segundo seu depoimento no vídeo *Memória presente: Klauss Vianna* (Navas e Casali, 1992).

Na segunda metade da década de 1980 e início dos anos 1990, Rainer Vianna, ao lado de Neide Neves, desenvolveu o processo de sistematização, sugerindo procedimentos para abordar seus princípios em sala de aula, criando uma estruturação didática da técnica, não chegando, entretanto, a registrar ou publicar um trabalho escrito sobre essa sistematização. Chamaram-na, a princípio, de Dança Livre, mas a denominação foi mal interpretada, dando a impressão de ser apenas uma liberação de movimento. Então, modificaram-na para Técnica de Dança Consciente; depois, para Técnica do Movimento Consciente; e, finalmente, para Técnica Klauss Vianna.

Alguns princípios, sobre os quais está baseado o trabalho, podem ser enunciados desta maneira:

- Autoconhecimento e autodomínio são necessários para a expressão pelo movimento
- Sem atenção não há possibilidades de autoconhecimento e expressão
- É preciso buscar estímulos que gerem conflitos e novas musculaturas, para acessar o novo
- Das oposições nasce o movimento

- A repetição deve ser consciente e sensível
- A dança está dentro de cada um
- Dança é vida

(Neves, 2004, p. 6-7)

Por se tratar de um estudo relativamente recente, há várias discussões acerca da validade dessa sistematização, embora poucos a tenham conhecido efetivamente. É bem verdade que alguns que vivenciaram as aulas de Klauss Vianna, e não a sistematização, resistem em reconhecê-la como técnica, já que ele próprio não o fez. Entretanto, esse reconhecimento foi zelosamente defendido por Rainer Vianna, que tinha não somente o cuidado de preservar o trabalho do pai, mas também o propósito de torná-lo vivo no século 21.

Rainer Vianna teve participação direta tanto na transmissão dessa técnica, criando o referido centro de estudos didáticos com o grupo de professores da Escola Klauss Vianna, do qual eu fazia parte, quanto em sua aplicação, combatendo interpretações errôneas e superficiais de anos de pesquisa. Foi arrojado ao encarar, com coragem, a exposição desse trabalho, pois, a partir do momento em que se afirma algo, fica-se aberto a críticas, com apreciações tanto favoráveis quanto desfavoráveis. Ele teve o distanciamento e a objetividade de organizar e aplicar, em estágios diferenciados, os tópicos corporais trabalhados no dia a dia em sala de aula. De fato, sistematizar não implica necessariamente limitar ou tornar superficial uma prática, mas permite também organizá-la.

Não se trata, portanto, de aprisionar ou cristalizar o trabalho. Ao contrário, com uma sistematização, as bases tornam-se claras e firmes para construir, transformar e pesquisar um caminho. É aí que se encontra o movimento de uma pesquisa:

explicitar o trabalho, criando uma discussão detalhada para mantê-lo vivo e presente para as próximas gerações. A sistematização foi, sem dúvida, uma grande conquista. Entretanto, é bem verdade, as explicações sobre a técnica somente são validadas com as vivências práticas.

Nesses quase 30 anos como professora da Técnica Klauss Vianna, observo a importância de especificar os princípios de Klauss, registrando e repassando as devidas referências do desenvolvimento dessa técnica, por respeito e valorização de uma pesquisa brasileira de aproximadamente 40 anos de dedicação, reflexão, reformulação, transformação, além de todo o movimento vital e coletivo que uma pesquisa permite.

Observo a expressão de espanto dos meus alunos, principalmente dos bailarinos, quando relato a história da Técnica Klauss Vianna. É comum ouvir dos estudantes: "Já ouvi falar em Laban, butô, eutonia, RPG, pilates etc., mas não em Técnica Klauss Vianna. Como esse pesquisador foi importante!"

> Klauss abrangeu com sua presença e trabalho praticamente todo o Brasil. [...] Estudou, trabalhou, pesquisou, ensinou e faleceu no Brasil. Seu trabalho é autenticamente nacional. O que se trata de uma particularidade de grande importância. Todas as técnicas de dança que se popularizaram no Brasil são produtos estrangeiros. No caso da dança, Klauss é o primeiro mestre brasileiro. (Vianna e Rezende, 1992, p. 185)

É importante ressaltar também o valor de diversos trabalhos que se utilizam de seus princípios e as convergências com outras técnicas em educação somática, saudando-as e fortalecendo-as. O norte-americano Thomas Hanna (*apud* Fortin, 1999, p. 40) definiu assim a educação somática: "[...] a arte e a ciência de um processo relacional interno entre a consciência, o biológico e o meio ambiente, estes três fatores sendo vistos como um todo agindo em sinergia". Todas as técnicas em educação somática levam ao corpo próprio, ou seja, há diversos caminhos que levam ao mesmo ponto. Considero aqui a Técnica Klauss Vianna, além de uma técnica de dança, uma técnica em educação somática:

> Entendemos por educação somática práticas como a de Alexander, de Feldenkrais, os Fundamentals de Bartenieff, a Ideokinesis de Mabel Toddy, Lulu Sweigard e Irene Dowd, a eutonia de Gerda Alexander, o Body-Mind Centering de Bainbridge-Cohen; e, no Brasil, a técnica de Klauss Vianna e o trabalho de José Antonio Lima. O termo "educação somática" foi definido pelo norte-americano Thomas Hanna, em 1983 [...]. (Strazzacappa e Morandi, 2006, p. 48)

No Brasil, a educação somática passou a ser conhecida e divulgada no fim dos anos 1990, tendo os pioneiros/reformadores do movimento iniciado a pesquisa entre o final do século 19 e os anos 1930, na América do Norte, na Europa e na Austrália. Para melhor entendimento, segue uma classificação histórica de Michele Mangione (1993), que distinguiu três períodos no desenvolvimento da educação somática:

> - Do final do século 19 a 1930: pioneiros que desenvolviam seus métodos, geralmente a partir de uma questão de autocura.
> - De 1930 a 1970: disseminação dos métodos graças aos estudantes formados por estes pioneiros.
> - De 1970 até hoje: vemos diferentes aplicações se integrarem às práticas e aos estudos terapêuticos, psicológicos, educativos e artísticos. (Fortin, 1999, p. 41)

Como bailarina/coreógrafa, pode parecer limitador considerar a Técnica Klauss Vianna educação somática, já que Rainer Vianna a colocava como técnica de dança e Klauss, intitulando seu livro *A dança*, já revela o seu enfoque. Além disso, o trabalho na área de teatro evidencia ainda seu direcionamento para a criação cênica. Entretanto, como a educação somática engloba as três áreas – a arte, a saúde e a educação –, torna-se clara, na aplicação da Técnica Klauss Vianna, a confluência dos diferentes enfoques, deixando a cargo de cada profissional a separação em categorias para abordagem metodológica, vinculando a técnica a processos terapêuticos, educacionais ou estéticos.

Cada vez mais, a dança busca o enfoque somático para a criação e a expressão do movimento: "A educação somática surgiu a partir de preocupações terapêuticas de indivíduos, mas constatamos que membros da comunidade de dança deixaram o caráter terapêutico para dar corpo à sua pesquisa dentro de uma orientação educativa e artística" (Fortin, 1999, p. 51). Essa afirmação combate o preconceito dos próprios bailarinos de que é dança apenas o virtuosismo de pernas cada vez **mais** altas, giros **mais** rápidos e toda a vasta gama de **mais** movimentos almejada no treinamento mecanicista do mundo da dança:

> Comumente, os trabalhos desenvolvidos na linha de exploração e improvisação de movimentos raramente recebem o "status" de dança. As modalidades "criativas" geralmente são, no mundo da dança institucionalizada, simplesmente consideradas como laboratórios ou exercícios para aqueles que não são "capazes" de executar outras modalidades codificadas (e virtuosas) de dança. [...] Para os desavisados, pressupõem um conceito de "não dan-

> ça", de pura experimentação, quando experimentação não é considerada dança. (Marques, 1999, p. 80)

Sendo assim, observo no campo da dança que existe uma busca de outras formas de criação, mas o pensamento da dança, ou o que se espera dela, permanece muito arraigado ao ensino da dança formal de há muitos anos, do bailarino que busca a técnica como sinônimo de virtuosismo. Com a prática de educação somática, percebemos que o fundamental não é o enfoque no objetivo único de atingir cada vez mais um corpo adestrado, perfeito. É de importância substancial reconhecer, por outro prisma, que o menos pode ser mais e que na pesquisa corporal um pequeno detalhe faz grande diferença.

No Brasil, Klauss Vianna foi o pioneiro na pesquisa em educação somática – expressão, aliás, não utilizada em sua época. Entre as linhas somáticas, a sua técnica apresenta o diferencial de ser a única que chegou à pesquisa anatômica/estrutural partindo da pesquisa didática/estética de um professor/coreógrafo, permitindo um processo criativo ainda mais permeável, tendo todas as outras técnicas o caminho inverso, pois começaram da pesquisa terapêutica e se ampliaram, posteriormente, para a pesquisa estética. Para Woodruff (1998, p. 38), a fixação no estético tende a tornar a dança algo automatizado, alheio ao corpo próprio:

> Mesmo que a Dança não seja vista como uma atividade natural, ela depende de padrões naturais de movimento que formam, por sua vez, uma base de eficiência motora para a Dança. Apesar de a Dança, como qualquer forma artística, ser um artifício, ela necessita de um corpo em bom funcionamento para a produção. Infelizmente muitas técnicas de dança são um pouco

mais do que uma série de exercícios e sequências mecânicas, que propõem um vocabulário de "coisas a serem feitas", mas que frequentemente fracassam no ensino de uma percepção corporal aprofundada, fundamental para a apreensão de vocabulário técnico e qualitativo.

Ao investigar o processo didático e a maneira pela qual a prática da Técnica Klauss Vianna pode vigorar no palco, resultando em uma obra coreográfica, com base em minhas vivências como coreógrafa e professora dessa técnica foi possível observar como os enfoques didáticos, estéticos e terapêuticos convergem, na prática em sala de aula, em um ambiente no qual todas essas informações dialogam.

Foram vários os profissionais que abordaram como objeto de estudo a pesquisa de Klauss Vianna, tanto na prática quanto na reflexão teórica:

> Doze anos após a morte de Klauss, podemos ver traços de sua obra em evolução. Muitos intérpretes nas áreas de dança e teatro têm no corpo as instruções assimiladas em anos de trabalho com Klauss. Estes e outros mesclam em seu trabalho de criação e nas experiências educacionais alguns dos conceitos aprendidos. Outros ainda continuam a pesquisar e a aprofundar estes mesmos conceitos. Monografias, capítulos e dissertações (e.g.: Santos, 1994; Queiroz, 2000; Pedroso, 2000; Alvarenga, 2002; Tavares, 2002) têm sido escritos sobre este coreógrafo e professor. (Neves, *op. cit.*, p. 2)

Todos os trabalhos citados anteriormente têm relação com os princípios e a atuação de Klauss Vianna, mas nenhum deles aborda, como objeto de pesquisa, os tópicos trabalhados na prática em sala de aula e sua estruturação didática. Neste livro, portanto, tem-se o objetivo de contribuir com um olhar sobre a Técnica Klauss Vianna que focaliza a sistematização, não se esquecendo do desafio e dos limites de transformar em texto o que é trabalhado e sentido no corpo e de colocar em palavras as vivências cinestésicas.

Este livro busca, de certa forma, suprir a carência de registros bibliográficos da pesquisa de Klauss Vianna e, principalmente, a ausência de registro escrito da sistematização da técnica. Sendo ele inédito nesse aspecto, pode contribuir para o entendimento e o reconhecimento da Técnica Klauss Vianna.

A ESCUTA DO CORPO

1 Histórico - Os movimentos dos Vianna

"Klauss como mestre, como artista e como amigo
é impossível de ser esquecido. Mas lembrar Klauss é
um exercício plural, pois seu caminho esteve sempre iluminado
por duas outras estrelas, que foi Rainer e é Angel."
Dulce Aquino (Programa do evento
Ciclo Klauss Vianna, 2002, Campinas)

KLAUSS VIANNA

"Transformando suas aulas num laboratório de ideias,
desafiando seus alunos, promovendo o intercâmbio
da dança com outras linguagens, Klauss abriu caminho
para os avanços pretendidos pela dança brasileira."
Ana Francisca Ponzio (1990, p. 141)

A investigação da trajetória da família Vianna, desde Minas Gerais, passando pela Bahia, pelo Rio de Janeiro e por São Paulo, contribui para o resgate da história da dança no Brasil.

Klauss Vianna nasceu em 12 de agosto de 1928, em Belo Horizonte (MG), onde começou seus estudos de dança. Seu interesse pelo movimento humano teve início na infância. Ele observava os gestos dos familiares, que eram analisados com fascinação e detalhamento. Criara um distanciamento próprio de observador, em consequência de um estranhamento do próprio corpo: "Não tinha corpo: vivia o corpo dos outros. Os gestos do meu pai, da minha mãe, o jeito de andar, de pisar, o movimento das mãos. E me fascinavam os ossos do esqueleto, os encaixes" (Vianna, 2005, p. 24).

O seu interesse inicial era pelo teatro: sempre obtinha os primeiros papéis nas peças da escola, escrevia textos teatrais, inventava cenários com as cadeiras. Eram essas as suas atividades preferidas, o que o isolava das outras crianças, que não se interessavam por esse tipo de brincadeira.

Decidiu estudar dança na adolescência, depois de assistir ao espetáculo do Balé da Juventude, apresentado em Belo Horizonte, que o encantou. Carlos Leite, o primeiro bailarino da companhia, fixou-se em Belo Horizonte para dar aulas, a convite do Diretório Central dos Estudantes (DCE) da Universidade Federal de Minas Gerais (UFMG). Klauss Vianna foi o primeiro aluno a se matricular, iniciando, assim, o seu percurso na dança com aulas de balé clássico. Mas logo se decepcionou com a distância entre o espetáculo visto e a rotina da sala de aula, com regras rígidas e sem explicações.

Sua pesquisa iniciou-se na década de 1940, diante de insatisfações e indagações sobre como fazer a dança. Ele descobriu que tinha uma deficiência técnica: uma perna mais comprida do que a outra, o que dificultava a execução dos movimentos propostos nas aulas de dança. Começou a estudar a relação dos movimentos do balé clássico com as artes plásticas, pois, na época, posava para o pintor Alberto da Veiga Guignard. "A cada dia inventava uma historinha: 'Hoje vou ser o orgulhoso'. E observava que músculo atuava: a reação muscular a partir de uma ideia. A intenção anterior ao movimento" (Vianna, *op. cit.*, p. 26). O bailarino, já em si pesquisador, foi então levando essas reflexões para o seu aprendizado em dança.

Relacionava os movimentos do balé clássico com as linhas de movimento sugeridas nas obras de vários artistas plásticos: "Aprendia mais sobre a dança com as artes plásticas. Passei a visitar museus e a observar a articulação, os músculos, o apoio dos corpos. Descobri Rafael, Da Vinci, Modigliani e, lentamente, comecei a vislumbrar minha própria técnica" (Vianna, *ibidem*, p. 28). Por meio de estudos anatômicos e cinesiológicos, começou a experimentar uma nova forma de ensinar a dança. Criou, em parceria com Angel Vianna, a Escola Klauss Vianna e, posteriormente, o Balé Klauss Vianna, em 1958. Explorava, em suas pesquisas, os elementos que estruturam a coreografia e o funcionamento dos corpos dos bailarinos.

Em pesquisas coreográficas dessa época, buscava uma linguagem brasileira de dança, inspirada em temas literários nacionais como:

- "O caso do vestido", sobre o poema de Carlos Drummond de Andrade;
- "Arabela, a donzela e o mito", sobre o romance *O amanuense Belmiro*, de Cyro dos Anjos;
- "A face lívida", sobre o poema homônimo de Henriqueta Lisboa.

Esses estudos eram permeados de inovações, como a exploração do espaço cênico sem as rotundas, coreografias dançadas no silêncio ou com música concreta composta por ruídos de carro, máquina de escrever e passos na nave de uma igreja, pesquisa do gestual do homem mineiro, entre outros olhares que, na época, causavam apreciações diferenciadas.

Na atuação pedagógica, tirou as sapatilhas de seus alunos para poder ver melhor os pés, sugerindo a pesquisa das direções ósseas do corpo. Os movimentos do balé continuavam os mesmos, mas o que mudava eram os espaços articulares dados a esses movimentos, flexibilizando, assim, o balé clássico. Criara uma escola em que o primordial era a expressão de cada um, e o papel do professor seria revelar a dança que se encontra em cada aluno, como resultado de uma didática inovadora para a época.

Em 1962, o Balé Klauss Vianna participou do I Encontro de Escolas de Dança do Brasil, em Curitiba (PR), organizado por Pascoal Carlos Magno. Nessa ocasião, Klauss conheceu Rolf Gelewski, bailarino alemão, então diretor da Faculdade de Dança da Universidade Federal da Bahia (UFBA), que o convidou para dar aulas e criar o setor de dança clássica nessa universidade, onde trabalhou de 1962 a 1964.

Em 1964, mudou-se com a família para o Rio de Janeiro e, logo que chegou, deu aulas em escolas e clubes. Foi na capital carioca que houve a sua aproximação com o teatro. Em 1968, foi convidado a produzir uma coreografia para a peça *A ópera dos três vinténs*, de Bertolt Brecht e Kurt Weill, com direção de José Renato. Entre os atores, estavam Marília Pêra e José Wilker, este em começo de carreira. No ano seguinte, José Celso Martinez Corrêa e Flávio Império chamaram-no para trabalhar em *Roda viva*, de Chico Buarque de Hollanda.

Em 1968, foi professor da Escola Municipal de Bailados do Rio de Janeiro, quando, segundo Neves (2004, p. 95-96), iniciou-se uma fase de muitas montagens, que avançou pelos anos 70 e 80. Desta época pode-se ressaltar:

- *Navalha na carne*, de Plínio Marcos, com direção de Fauzi Arap e Tônia Carrero como atriz (1968);
- *Jardim das cerejeiras*, de Tchecov, com direção de Ivan de Albuquerque e atuação de Rubens Corrêa e outros (1968);
- *O arquiteto e o imperador da Assíria*, com direção de Ivan de Albuquerque, atuação de Rubens Corrêa e José Wilker. Por esta montagem recebeu o prêmio de melhor coreógrafo pela Associação Paulista de Críticos de Arte (APCA) (1970);
- *Hoje é dia de rock*, de José Vicente, dirigida por Rubens Corrêa, com atuação de Rubens Corrêa, Ivan Albuquerque, o próprio Klauss e outros. Por esta montagem, Klauss recebeu o Prêmio Molière, categoria especial (1972);
- *O exercício*, de Lewis John Carlino, direção de Klauss, com Marília Pêra e Gracindo Júnior, pelo qual recebeu o Prêmio Mambembe, na categoria diretor (1977);
- *Mão na luva*, de Vianinha, direção de Aderbal Freire Filho, com Marco Nanini e Juliana Carneiro como atores (1984).

A expressividade com que Klauss Vianna desenvolvia as coreografias estabelecia uma identificação cada vez mais forte com o teatro, que começou a perceber a grande presença do "corpo" em cena. Com essa atuação no teatro, por volta de 25 peças teatrais ao todo, Klauss Vianna inaugurou a função de preparador corporal, com orientações corporais que diferem da função de coreógrafo.

Em 1975, em parceria com Angel Vianna e com a professora de balé Tereza D'Aquino, fundou o Centro de Pesquisa Corporal Arte e Educação. Nesse mesmo ano, tornou-se diretor da Escola de Teatro Martins Pena, pondo em prática a sua abordagem corporal nas artes cênicas, permanecendo ali até 1978, ocasião em que foi convidado a dirigir o Instituto Estadual das Escolas de Arte do Rio de Janeiro (Inearte), até 1980, quando se mudou para São Paulo.

Em São Paulo, inicia uma nova fase em sua carreira, na qual sua atuação é mais direcionada para a dança, já que no Rio de Janeiro sua trajetória fora mais marcante no teatro. Logo que chegou à cidade, deu aulas na academia de Lala Deheinzelin, com quem participou, no ano seguinte, da montagem de *Clara crocodilo*, com base nas músicas de Arrigo Barnabé. Deu aulas também nas escolas de Ruth Rachou e Renée Gumiel e, por último, na Academia Steps.

De 1981 a 1982, dirigiu a Escola de Bailados do Teatro Municipal de São Paulo. Com sua postura inovadora de pensar a dança, deixou ali inúmeras contribuições, entre as quais se destacam: a introdução de aulas de dança moderna; a realização de espetáculos com os alunos; a abertura da escola para a comunidade, com a criação de uma turma noturna, para aqueles que não tinham condições de fazer aulas durante o dia. Nessa iniciativa, 200 rapazes procuraram a entidade.

De 1982 a 1983, assumiu a direção do Balé da Cidade de São Paulo, deixando importantes iniciativas, entre elas: a solicitação à Secretaria da Cultura de livros sobre história da arte, como estímulo aos bailarinos para a leitura, e de jornais diários, para a reflexão crítica; o convite a artistas para que introduzissem outras abordagens das artes cênicas; a formação do Grupo Experimental com bailarinos para desenvolver pesquisa de criação. O grupo contava com a presença de bailarinos que faziam dança fora de um grupo oficial, como Ismael Ivo, Denilto Gomes, Suzana Yamauchi, Sônia Mota, Mara Borba, João Maurício e Mazé Crescenti.

Sob sua direção, foram realizados os espetáculos: *Valsa das vinte veias*, de J. C. Violla; a remontagem de *Certas mulheres*, de Mara Borba; *Bolero*, de Lia Robatto, pelo qual Klauss Vianna foi contemplado com o prêmio da APCA como diretor artístico do melhor espetáculo de dança do ano; e *A dama das camélias*, de José Possi Neto.

Em 1985, teve uma breve passagem pela Unicamp. Foi convidado por Marília Oswald de Andrade a trabalhar no Laboratório de Expressão, núcleo de pesquisa da Unicamp, dirigido por ela e por Luís Otávio Burnier, que estava em processo de criação da peça *Pedro e o lobo*. Nesse mesmo ano, a Faculdade de Dança da Unicamp foi fundada e Klauss Vianna participou das reuniões de elaboração da grade curricular do curso, mas não chegou a ministrar aulas.

Com a subvenção do Ministério da Cultura - Instituto Nacional de Artes Cênicas (Minc-Inacen), da Secretaria de Cultura de São Paulo e de órgãos estaduais e federais, iniciou em 1985 a pesquisa que resultou no espetáculo *Dã-Dá*, com os bailarinos Zélia Monteiro, Duda Costilhes e Izabel Costa, o músico João de Bruçó, um pianista, um grupo de percussão e um coral. O espetáculo foi apresentado em 1987.

Em 1990, foi contemplado com a bolsa de estudos da Fundação Vitae, de São Paulo, para escrever o livro *A dança*, em colaboração com Marco Antonio de Carvalho.

Em parceria com seu filho e a nora, criou em 1992 a Escola Klauss Vianna, para habilitar bailarinos e professores com o curso de formação na Técnica Klauss Vianna.

No Brasil, teve importante papel no emprego da improvisação, inclusive em cena, sendo também um dos pioneiros do processo do que chamamos hoje de "intérpretes-criadores", em que o bailarino não se restringe a decorar e a reproduzir passos do coreógrafo, mas também atua na criação em processo colaborativo, proporcionando, portanto, espaço à expressividade de cada um.

Não só atores e bailarinos se interessaram pela maneira de Klauss Vianna trabalhar o corpo. Profissionais de outras áreas começaram a procurar o trabalho – músicos, psicólogos, médicos, engenheiros, artistas plásticos, educadores, ou seja, pessoas interessadas na saúde e na expressão do corpo.

No dia 12 de abril de 1992, Klauss Vianna faleceu em São Paulo, deixando muitas marcas pelo Brasil. Propôs mudanças no contexto da dança, sempre experimentando novas ideias, estimulando, com sua inquietação, todos os que com ele conviveram. Foi um grande semeador no campo das artes cênicas em geral.

ANGEL VIANNA

"Angel atua como uma guerreira, move-se no espaço como um pássaro, fala, trabalha como rege uma sinfonia. É um exemplo contínuo de aprendizagem, uma educadora que confirma na práxis o seu saber."

JULIETA CALAZANS (2003, p. 17)

Angel Vianna nasceu em Belo Horizonte, filha de libaneses, batizada com o nome de Maria Angela Abras. Bailarina, artista plástica, atriz, coreógrafa, professora e pesquisadora do movimento, teve trajetória semelhante à de Klauss Vianna, pois ambos foram parceiros de trabalho e de vida durante muitos anos. Quando se conheceram no colégio, tinham cerca de 14 anos. Tornaram-se grandes amigos e iniciaram as aulas de balé clássico juntos.

Desde pequena, Angel estudou piano e, na adolescência, foi fazer balé clássico com Carlos Leite, em meados da década de 1940. Em 1948, ela e Klauss Vianna passariam a fazer parte do Ballet de Minas Gerais, a companhia de Carlos Leite. Essa iniciação na dança não foi bem recebida pelo pai, mas sua mãe a acobertava para que ela pudesse fazer as aulas de balé clássico.

Formou-se em Belas Artes pela Escola Guignard, onde recebeu prêmios nos festivais universitários de arte promovidos pela União Nacional dos Estudantes (UNE). Teve aulas de pintura com Guignard, mas considera a escultura o seu verdadeiro talento. Ela afirma que a escultura, a música e a dança formam uma tríade que resultou no seu trabalho corporal. "Da escultura, sinto que trouxe toda a percepção tátil, de como tocar. Da música, a percepção de ouvir. Da dança, toda a parte do fluxo do movimento e do espaço" (Rubin, 2002, p. 56).

Em 1962, foi para a Escola de Dança da Universidade Federal da Bahia, em Salvador, onde permaneceu por dois anos. Em 1964, partiu para o Rio de Janeiro, onde vive até hoje.

Logo que chegou ao Rio de Janeiro, foi trabalhar com dança na televisão. No período de 1966 a 1975, deu aulas de balé na escola de Tatiana Leskova e, posteriormente, abriu uma turma para adultos que queriam estudar "expressão corporal". Em 1975, fundou o Centro de Pesquisa Corporal Arte e Educação, com Klauss Vianna e Tereza D'Aquino, dedicando-se a dar aulas e dirigir o grupo Teatro do Movimento, criado por ela e Klauss.

Em 1983, em parceria com o filho, Rainer Vianna, e a nora, Neide Neves, inaugura o Centro de Estudo do Movimento e Artes – Espaço Novo, destinado à formação profissional em dança, que, posteriormente, viria a se tornar a Escola Angel Vianna. Esta é hoje um centro formador e núcleo de pesquisas e de prestação de serviços por meio da dança, com diversas manifestações culturais e socioeducacionais. Atualmente, a escola mantém intercâmbio com instituições educacionais, terapêuticas e artístico-culturais nacionais e internacionais.

Em 2001, conquistou a autorização do Ministério da Educação e Cultura (MEC) para o ensino no nível superior, resultando na Faculdade Angel Vianna, que oferece o curso de dança com duas habilitações: formação de docente e formação de dançarino. Em 2004, diplomou-se a primeira turma dessa faculdade.

Angel Vianna tem atuação interdisciplinar. Os profissionais já formados por sua escola possuem, portanto, a visão global da dança, o que permite abrir frentes de trabalho nas áreas das artes, saúde e educação. Muitos atuam em destacadas companhias de dança da cidade do Rio de Janeiro, e vários profissionais têm atuação na área da saúde, desenvolvendo, por exemplo, trabalhos com portadores de lesão medular e com crianças com necessidades especiais.

> Angel demonstra e transmite, em suas aulas, a convicção de que este trabalho é conscientemente um conhecimento maior, uma pesquisa permanente. É, sem dúvida, um estudo plural transformador e que revitaliza os sujeitos que interagem na sociedade: sujeitos subordinados às leis, às instituições e a outros dogmas. Homens e mulheres – simples passageiros – frutos de um tempo histórico, no qual a pesquisa, a produção de conhecimentos científicos e tecnológicos deve estar a serviço dos cidadãos. (Calazans, Castilho, Gomes, 2003, p. 16)

Em 2002, Angel Vianna foi indicada ao prêmio de artista multicultural pela Agência Estado de São Paulo. Seu trabalho vem sendo reconhecido, no Brasil e no exterior, mediante homenagens, condecorações e prêmios, entre os quais se destacam:

- Omaggio a Angel Vianna – Constante Cambiamento, 5ª Edizione, Omfrhida Teatrodanza, Florença, Itália, 2001;
- Diploma Orgulho Carioca – por sua importância na vida cultural da cidade do Rio de Janeiro, conferido pelo prefeito do município do Rio de Janeiro, 2000;
- Comenda da Ordem ao Mérito Cultural – inspirada na Ordem do Mérito Cultural na Classe de Cavaleiro, pela Presidência da República do Brasil, por suas relevantes contribuições à cultura brasileira, Brasília, 1999;
- Prêmio Mambembe – pelo conjunto da obra, 1996.

Atualmente, Angel mantém uma única turma como professora, que integra os cursos livres da Escola Angel Vianna, e, eventualmente, ministra algumas aulas específicas, tanto no curso técnico, quanto no curso superior da Faculdade Angel Vianna. Além das aulas que ministra e da direção-geral da escola e da faculdade, ela ainda mantém um ritmo de *workshops* e apresentações. É admirável a energia dessa artista que, com mãos zelosas, continua plantando, diariamente, a dança neste país.

RAINER VIANNA

"Rainer, como uma resultante vetorial de duas atitudes ('o quê' da dança em Klauss e o 'por quê' em Angel), lidou com o 'como', buscando a sistematização dos saberes dispersos."

Helena Katz

Rainer Vianna nasceu em 24 de janeiro de 1958, em Belo Horizonte. Sua formação em dança não foi apenas em sala de aula, e ele sempre afirmava em tom de brincadeira: "Minha formação é de banheiro, sala, cozinha, de casa mesmo – cresci ouvindo meus pais falarem de dança e corpo".

Em 1973, aos 15 anos, residindo na cidade do Rio de Janeiro, começou a fazer aulas com os pais, estudando, pesquisando e aplicando a técnica que, nas décadas de 1970 e 1980, foi o seu processo de formação mais presente, tendo os pais como mestres. Paralelamente, estudou expressão corporal com Ausonia Monteiro e dança com o assistente de Oscar Araiz.

O interesse pelo teatro veio também em 1973, quando iniciou um curso com Maria Clara Machado, no Teatro Tablado, e, posteriormente, com Jonas Bloch. Em 1976, aos 18 anos, foi para Buenos Aires fazer diversos cursos: expressão corporal com Patricia Stokoe e Lola Brikman, eutonia com Gerda Alexander (com quem fez outro curso em 1978), anatomia e expressão corporal com Irupe Pau e teoria e prática musical para acompanhamento de aulas de expressão corporal com Carlos Gianni.

Retornou ao Rio de Janeiro, onde participou de aulas de dança contemporânea com Graziela Figueroa, e de dança clássica, capoeira, danças afro-brasileiras e dança moderna.

Em 1982, fez o curso de eutonia com Berta Vishnivetz e, em 1985, fez novamente o curso de expressão corporal com Patrícia Stokoe, Lola Brikman e Perla Jaritonski, todos no Rio de Janeiro.

Além da ampla formação em dança e da vasta experiência profissional como bailarino, coreógrafo, diretor e professor de dança, realizou diversos trabalhos em teatro e cinema, como ator, diretor e preparador corporal.

Seu único trabalho de dança sob a direção de seu pai foi o solo *Reflexões de uma mão desesperada*, espetáculo apresentado inúmeras vezes, por vários anos.

Trabalhou em cinema, participando dos seguintes filmes de longa-metragem:

- *Estranho triângulo*: como ator, filme de Pedro Camargo, com José Wilker, entre outros, 1976;
- *Feminino plural*: como ator principal, filme de Vera de Figueiredo, 1977;
- *Ele, o boto*: como preparador corporal, com atuação de Carlos Alberto Ricelli e direção de Walter Lima Jr., 1987.

Em 1985, participou da preparação corporal dos atores da minissérie da TV Globo *Grande sertão: veredas*, baseada no livro homônimo de Guimarães Rosa, e foi coreógrafo do curta--metragem *Balada das dez bailarinas do cassino*, com narração de Rubens Corrêa e direção de João Carlos Velho.

Na área teatral, trabalhou em diversas peças, entre elas:

- *Avatar*: como bailarino, direção de Luiz Carlos Ripper, com José Wilker, Iara Amaral, entre outros, 1976;
- *The rocky horror show*: como bailarino, peça de Richard O'Brian, 1976;
- *Depois da hora*: como ator principal, peça infantil de Eduardo Meirelles, 1976;
- *O palhaço imaginador*: como diretor dessa peça infantil; recebeu dois prêmios: o Molière e o S.N.T., 1976;
- *As quatro patas do poder*: como coreógrafo, peça de Clóvis Levy, 1979;
- *Teu nome é mulher*: como orientador de expressão corporal, com atuação de Tônia Carrero, 1979;
- *Ruth Escobar*: com o patrocínio do Ministério de Cultura do Estado de São Paulo, participou como bailarino, em São Paulo, 1981;
- *Eu posso*: como preparador corporal, com direção de Luiz Carlos Ripper e atuação de Jardel Filho, Iara Amaral, entre outros, 1982;
- *Os mal-amados*: como preparador corporal, com direção de Pierre Astrié, 1982;
- *A divina Sarah Bernhardt*: como preparador corporal, com atuação de Tônia Carrero, 1984;
- *Laços*: como preparador corporal e coreógrafo, direção de Odavlas Petti, 1985;

- *O outro lado do circo*: resultado do curso/montagem *Os cantos do corpo*, que visava à integração do corpo com o canto; esse curso foi ministrado junto com o maestro Marcos Leite, 1986.

No período de 1976 a 1982, foi professor de dança contemporânea do Centro de Pesquisa Corporal Arte e Educação, no Rio de Janeiro. Teve uma carreira precoce, inclusive como professor, pois em 1975, ano em que começou a dar aulas, tinha apenas 17 anos. No ano seguinte, foi convidado a assumir o cargo de diretor desse mesmo espaço, onde permaneceu até 1982, quando fundou o grupo Pé de Pato.

Na sua experiência profissional, deve ser destacado o pioneirismo na idealização e na participação dos encontros de dança contemporânea no país: Deixa Eu Dançar, Dançando o Sete, Dançando na Corda Bamba, Dança que se Dança, entre outros realizados entre 1976 e 1981 no Parque Lage, Teatro Gláucio Gil, Museu de Arte Moderna/RJ, Circo Voador, Teatro Cacilda Becker, Teatro Tereza Rachel e Teatro Glória.

Em 1983, fundou, em parceria com Angel Vianna e com a esposa, Neide Neves, o Centro de Estudo do Movimento e Artes – Espaço Novo, que hoje é a Escola Angel Vianna. Além das aulas que ministrava nesse espaço, dava também o curso de expressão corporal, promovido pelo Instituto Nacional de Artes Cênicas (Inacen) e pelo Centro de Estudos Nacional de Artes Cênicas (Cenacen), no Rio de Janeiro, destinado a atores e profissionais de arte.

Em 1985, criou o Centro de Dança Livre de Botafogo, onde coreografou e dirigiu o espetáculo *Movimento cinco – Mulher*, com a participação de Angel Vianna e Neide Neves. Nesse mesmo ano, foi professor na Casa das Artes de Laranjeiras

(CAL), no curso de formação de atores, e, em 1986, deu aulas a atores e bailarinos em um curso promovido pela Secretaria de Cultura de Uberlândia (MG).

Em 1988, começou uma nova fase em sua trajetória. Mudou-se com a esposa e a filha, Tainá, para São Paulo. Logo que chegou à capital paulista, ministrou aulas na Academia Steps. A sala de aula ficava lotada com cerca de 30 pessoas bem diferentes entre si, de diversas ocupações e idades.

Rainer Vianna sempre manteve o ritmo de ministrar *workshops* em cidades variadas, divulgando muito o trabalho, não só no país, mas também internacionalmente. Foi em 1988 para a Argentina, onde deu um curso e fez algumas apresentações, a convite do Ministério da Cultura do Brasil, e também para a Espanha, apresentando-se na Escola de Bailados de Madri, a convite do governo espanhol.

Em 1989, foi convidado para dançar no programa musical de Wagner Tiso *Manu Saruê*, da TV Manchete, e, em 1990, fez a direção corporal do espetáculo *Pantaleão e as visitadoras*, dirigido por Ulisses Cruz.

Além de todas as obras artísticas realizadas, teve também importante atuação didática explorando os princípios de Klauss Vianna. Ele teve o cuidado de analisar minuciosamente o trabalho, deixando-o acessível às pessoas que tinham interesse em formação nessa técnica. Rainer fez uma análise detalhada dos tópicos corporais abordados em sala de aula e dos procedimentos que seriam mais adequados para o entendimento e a recepção corporal do aluno. Ele dissecou a técnica no afã de compreendê-la.

Com o propósito de oferecer um curso de formação na Técnica Klauss Vianna, fundou, em 1992, junto com o pai e a esposa, a Escola Klauss Vianna. Rainer dirigia a escola e ministrava aulas diariamente, além de dar *workshops* não só na própria escola, mas também em outros espaços, como na Oficina Oswald de Andrade, nas unidades do Sesc e em festivais de dança.

No dia 2 de outubro de 1992, Rainer Vianna, representando o pai, recebeu o Prêmio Unesco na França, pelo valor da técnica totalmente elaborada por um brasileiro.

Em 1993, criou e dirigiu o seu último trabalho coreográfico, intitulado *Do outro lado do som*, com a bailarina Marinês Calori e música ao vivo de Ricardo Costa, utilizando-se de improvisação em cena. Esse trabalho foi apresentado em São Paulo, no Rio de Janeiro e em Belo Horizonte até 1994.

Em agosto de 1995, aos 37 anos, faleceu, partiu precocemente, deixando um vazio no mundo da dança...

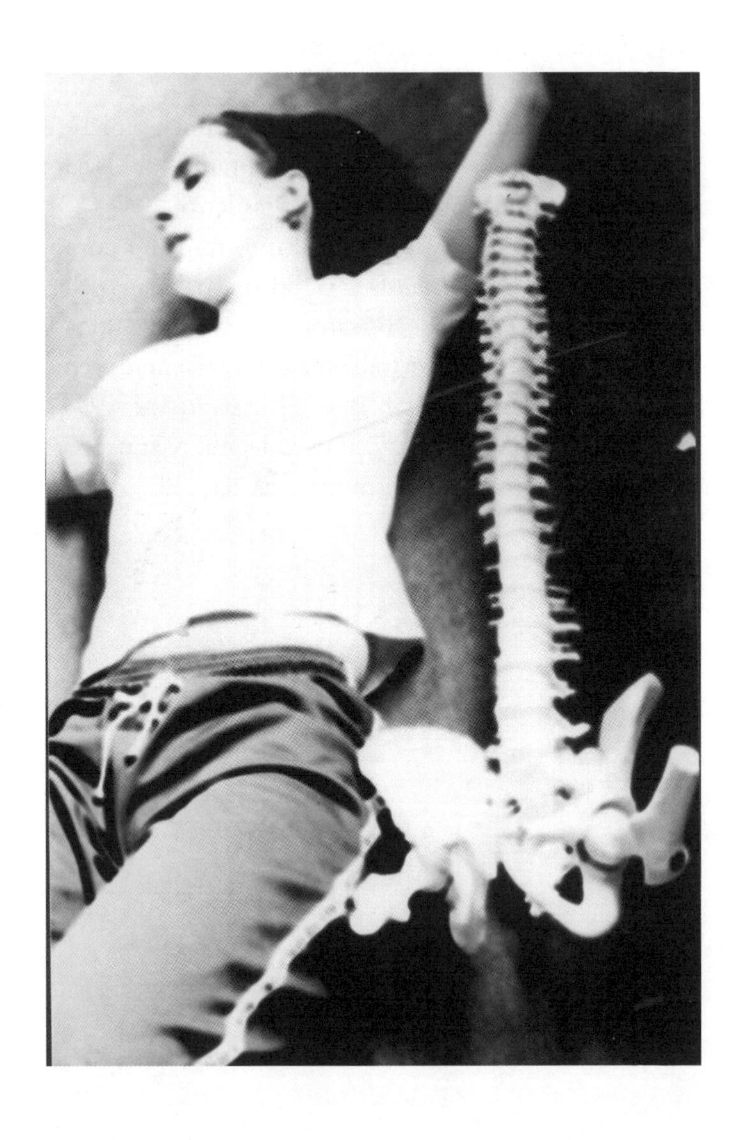

2 | Técnica Klauss Vianna - A sistematização

"Voar é para os pássaros, os sonhadores e as nuvens. Mas, quando os sonhadores assumem a posição de professores e conseguem transmitir suas ideias e conceitos a ponto de transformá-los em movimentos conscientes, seus alunos sentem-se pássaros. Seus espíritos chegam às nuvens. Gente é como nuvem, sempre se transforma."
ANGEL VIANNA (Programa de apresentação da Faculdade Angel Vianna, 2001, Rio de Janeiro)

"Klauss Vianna baseou toda a sua técnica no desafio à gravidade. Desafiou o limite e fez dele uma possibilidade."
RAINER VIANNA (Material didático da Escola Klauss Vianna, 1994, São Paulo)

A Técnica Klauss Vianna pressupõe que, antes de aprender a dançar, é necessário ter consciência do corpo, de como ele é, como funciona, quais são suas limitações e possibilidades, para, com base nessa consciência, a dança acontecer. E quando a dança acontece? Quando o corpo está disponível no movimento para realizar uma comunicação por meio da expressão corporal, com a manifestação da dança de cada um. Portanto, a Técnica Klauss Vianna propõe, antes de mais nada, uma disponibilidade corporal para o corpo que dança; o corpo que atua; o corpo que canta; o corpo que educa; o corpo que vive.

> Acreditamos que técnica é algo vivo, flexível, que, sem perder o seu fio condutor e sua linha, em nenhum instante nos lembra autoritarismo e obrigatoriedade. A técnica, como o corpo, respira e se move. Cabe a uma técnica ser suficientemente madura para poder se adaptar às mudanças, às necessidades do homem, e nunca ao contrário. A técnica é um "meio", e não um "fim".[2]

Com a sistematização, foram estruturados diversos tópicos corporais para efetivar os princípios de Klauss Vianna. No curso de formação da Escola Klauss Vianna, esses tópicos eram aplicados em três anos, em três estágios diferenciados:

1. processo lúdico;
2. processo dos vetores;
3. processo criativo e/ou processo didático (opcional).

No processo lúdico, o corpo é despertado, desbloqueado, causando a transformação dos padrões de movimento para, na segunda etapa, ser levado ao aprofundamento do processo dos vetores, quando são trabalhadas as direções ósseas, resultando em um processo criativo – a última etapa a ser vivenciada, que será abordada, separadamente, no próximo capítulo.

2 Texto de Klauss Vianna, retirado do material didático da Escola Klauss Vianna.

PROCESSO LÚDICO - ACORDAR O CORPO

O processo lúdico é a introdução à Técnica Klauss Vianna, que denominamos de "o acordar". Nesse estágio, são abordados sete tópicos corporais, estabelecendo um jogo de inter-relações com todos eles:

- presença;
- articulações;
- peso;
- apoios;
- resistência;
- oposições;
- eixo global.

Todo o processo da Técnica Klauss Vianna vai depender do aluno, ou melhor, de seu corpo e de suas limitações. O professor é apenas um facilitador e orientador:

> Para a Técnica Klauss Vianna, no próprio corpo estão os meios. A partir de um estímulo dado ao sistema motor, neste trânsito de conexões internas ao corpo e corpo-ambiente, num dado momento, podemos provocar a emergência de imagens, sensações, emoções da história de um determinado corpo, que podem, por sua vez, alimentar novamente o processo todo. (Neves, *op. cit.*, p. 20)

O que geralmente se observa no início do processo é a ausência corporal, ou seja, pessoas com distanciamento do próprio corpo, falta de contato e de atenção corporal, autoimagem distorcida, receio do próprio movimento, queixas de má postura, cristalização de padrões posturais, dores e "crispações"[3]. É importante salientar que essas observações remetem à maioria, não excluindo os bailarinos, já que uma das características da Técnica Klauss Vianna é justamente o fato de a dança e o estudo do movimento não serem privilégio apenas de bailarinos, mas de qualquer ser humano interessado em conhecer e trabalhar o corpo.

Estimulamos o aluno a (re)conhecer o próprio corpo, para que ele possa promover a transformação gradual de *ausência* corporal para *presença* corporal, ou seja, da "dormência" para "o acordar", e, consequentemente, disponibilizar o corpo para lidar com o instante do momento presente. Essa transformação se dá pelo despertar dos cinco sentidos, mediante os quais nos relacionamos com o mundo e desenvolvemos o sentido cinestésico, que compreende a percepção do corpo no espaço e no tempo.

O que ocorre é uma desestruturação, não só física, mas conceitual, pois o aluno pode apresentar uma carga de pré-informações ou preconceitos de corpo ou de dança que, por vezes, prejudica a recepção do trabalho, por exemplo: movimentos formais, sem espontaneidade, que permanecem impregnados no corpo, e a preocupação com o acerto com base no julgamento binário ou dualista de belo e feio, bom e ruim, certo e errado etc.

3 A expressão "crispação" foi inicialmente empregada na ginástica alemã para designar pessoas que inconscientemente desperdiçam suas forças físicas e psíquicas – isto é, mobilizam forças demais para um trabalho que tenham diante de si (Ehrenfried, 1991, p. 95).

> Em geral, mantemos o corpo adormecido. Somos criados dentro de certos padrões e ficamos acomodados naquilo. Por isso digo que é preciso desestruturar o corpo; sem essa desestruturação não surge nada de novo. [...] Se o corpo não estiver acordado é impossível aprender seja o que for. (Vianna, *op. cit.*, p. 77)

Aos poucos, em sala de aula, as pessoas vão perdendo o medo de si e umas das outras. Algum constrangimento inicial de se expor, de se movimentar ou ainda de permitir-se novas vivências corporais vai se diluindo e se transformando numa postura de cumplicidade, e o terreno desconhecido do início do processo vai se tornando acolhedor. O aluno se desapega, aos poucos, do resultado almejado e passa a priorizar o processo.

Os sentidos vão sendo trabalhados conforme o andamento e o desenvolvimento do grupo, e desse "despertar corporal" surge a necessidade de movimentos novos, as articulações vão ganhando espaços e buscando possibilidades antes adormecidas. A pesquisa com o próprio corpo se estabelece, aos poucos, em consequência do ritmo de cada um. O processo é encaminhado de maneira lúdica, como um jogo de experimentações orientado pelo professor: "Como uma criança quando brinca. Ela brinca um pouco, mas depois larga. Outra coisa chama a sua atenção e ela passa a se interessar por uma nova atividade" (Queiroz, 2001, p. 32).

Estabelecem-se o reconhecimento das *articulações* e a exploração dirigida das possibilidades dos movimentos articulares em diferentes situações no espaço. Observam-se as diversas articulações utilizadas para mudar de posição, incluindo movimentos do cotidiano, como se sentar, levantar, andar, correr, agachar etc.

Por meio de estímulos diferenciados para a utilização das dobradiças do corpo, faz-se a passagem de uma estrutura parcial das articulações para uma estrutura total, exigindo maior controle de todas elas. Ao trabalhar parcialmente as articulações, torna-se possível recuperar a totalidade do corpo, mediante a experiência dos movimentos parcial e total, com a compreensão das possibilidades de movimento das articulações: flexão, extensão, adução (aproximação do plano mediano do corpo), abdução (afastamento do plano mediano do corpo), rotação interna (medial) e rotação externa (lateral), que permitem o desbloqueio das tensões musculares que podem limitar o movimento.

Nessa etapa do trabalho, é fundamental a observação do *peso* de cada parte do corpo e do corpo como um todo. Empregamos o termo "peso" segundo o conceito da física, ou seja, resultante da ação da gravidade sobre os corpos. (Atentamos para não confundir com a nomenclatura de Laban, que o utiliza como fator de movimento.) É importante salientar a relação de peso e leveza, pois exploramos a independência das articulações por meio da percepção de peso das partes que se relacionam com elas, e não por meio da força e da tensão da musculatura, o que pode resultar na retração da articulação. Portanto, o direcionamento do peso do corpo pelo espaço possibilita a leveza do movimento. É pelo uso do peso do meu corpo, e não pelo abandono deste, que me oponho à gravidade.

O chão começa a ter uma função. Eu observo os *apoios* e desperto as partes que tocam e as que não tocam o chão, diferenciando as qualidades de apoio. Inicia-se, dessa forma, o reconhecimento dos apoios, não só na pausa, mas no movimento, atentando às passagens de uma posição para outra e também de um nível[4] para outro, tanto em relação ao chão, quanto em relação aos objetos que posso utilizar e, ainda, em relação ao próprio corpo. Com o trabalho de transferências de apoio, possibilita-se a composição do caminho do movimento. Os apoios são usados ativamente com base na utilização da força da gravidade. Ação-reação, ou seja, a Terceira Lei de Newton: se um corpo aplica uma força sobre outro corpo, receberá uma reação com a mesma intensidade, na mesma direção e no sentido oposto.

É por meio do estudo e da diferenciação de apoio passivo--ativo que se torna possível a percepção de *resistência*. Entramos em contato com a musculatura agonista (que realiza o movimento) e antagonista (que realiza o movimento contrário), criando, dessa forma, uma força de resistência.

Depois de vivenciadas as etapas anteriores, o aluno se encontrará com um "novo" chão, um "novo" peso, um "novo" centro de gravidade e sustentação, ou melhor, um "novo" corpo, para, a partir daí, começar a estabelecer as linhas de *oposição* do corpo.

É por meio das oposições que podemos tridimensionar o corpo, considerando-se os três planos anatômicos nos quais se realizam os movimentos: o transversal, que divide o corpo em parte inferior (embaixo) e superior (em cima); o sagital, que divide o corpo em dois lados, direito e esquerdo; e o frontal, que divide o corpo em parte anterior (frente) e posterior (atrás). Perceber que, além dessa oposição vertical, em cima *versus* embaixo em relação à gravidade, há também a oposição frente *versus* atrás entre as mus-

4 Utilizo aqui a nomenclatura de Rudolf Laban. Segundo ele, temos três níveis espaciais: alto, médio e baixo. Nível é a relação de posição espacial do corpo como um todo em relação a um objeto, a outro(s) corpo(s) ou no espaço geral.

culaturas anterior e posterior e os lados esquerdo e direito, estabelecendo a lateralidade.

O estudo e a prática dos tópicos anteriores proporcionam o *eixo global*, a integração do corpo com a gravidade na busca do eixo de equilíbrio. O aluno reorganiza-se, podendo observar as transformações, que são visíveis. Há a melhor distribuição do peso do corpo em pé. Mas, para que isso aconteça, todas as outras etapas têm de ser incorporadas, com o cuidado de começar sempre da sensibilização a cada nova abordagem.

Adquire-se ao final desse processo a consciência da existência de um "centro de forças", um "centro de gravidade", ou seja, um centro de onde parte toda a força de sustentação do eixo global: a centralização do corpo. Essas referências levam-nos à fase seguinte, fechando esta primeira etapa: o processo lúdico. Este é fundamental para a próxima vivência, de direções ósseas: o processo dos vetores. Entretanto, antes de detalhar a questão dos vetores, especificarei a seguir, minuciosamente, cada um dos tópicos corporais estudados durante o processo lúdico.

Presença

Devemos partir do princípio de que, em um processo iniciante, o professor da Técnica Klauss Vianna pode deparar com pessoas que não têm contato sensível com o corpo, que desconhecem as próprias limitações e/ou têm uma autoimagem distorcida. A vivência do processo lúdico é pré-requisito para vivenciar o processo dos vetores. Como a experiência em determinada técnica de dança não garante que o corpo já esteja "acordado", o bailarino que iniciar a Técnica Klauss Vianna também passará pelo mesmo processo iniciante, como aquele sem nenhuma técnica corporal anterior.

É comum observar o bailarino chegar com movimentos cristalizados em certos padrões e modelos de dança, o que dificulta o trabalho de *escuta do corpo*: "Você trabalha técnicas específicas e são essas mesmas técnicas que o levam a adquirir couraças que impedem seu reconhecimento interior" (Vianna, *op. cit.*, p. 104). Já o leigo, muitas vezes, chega com um "frescor de movimento", de aprendiz do corpo, que é favorável a esse trabalho.

Utilizamo-nos da metáfora de que o corpo é o nosso instrumento e que, antes de saber tocar um instrumento, é necessário conhecê-lo. Não existe dança se não houver primeiro o corpo. Assim, iniciamos a auto-observação conduzida pelos sentidos, o despertar sensorial, que ampliará o sentido cinestésico, resultando em uma *presença*: o estar presente aqui e agora. É necessário que guiemos toda a atenção do aluno para aquilo que ele vê, ouve e sente. Entretanto, por vezes, há trabalhos corporais que acabam gerando certa alienação do corpo próprio sensível:

> Mas, infelizmente, [...] os alunos se anestesiam ao entrar em uma sala de aula.
> E seria difícil fugir desse sono: para começar, ficam sempre nos mesmos lugares, ouvem sempre a mesma música, o mesmo som diário da voz do professor, que corrige diariamente as mesmas coisas nas mesmíssimas pessoas. Pronto: com cinco minutos de aula todo mundo está em transe, ninguém mais se encontra ali. Se um elefante passar pelo meio da sala ninguém nota. (Vianna, *op. cit.*, p. 32-33)

O chão é um elemento primordial e a mais concreta referência para o aluno se observar e se perceber. A princípio, deve-se estimular a observação de como ele sente o chão: quente, frio, liso, duro. E como sente o contato do corpo no chão: confortável, desconfortável etc. Aos poucos, vai-se criando uma intimidade com o chão, de acolher-se, apoiar-se, deslizar, rolar. Enfim, o chão vai se tornando um aliado no trabalho de percepção do próprio corpo. "O primeiro apoio, o apoio básico que todos temos, é o solo. [...] Às vezes as pessoas estão deitadas no chão e parecem levitar: é muito difícil o contato, a entrega, a confiança" (*ibidem*, p. 72).

Em aula, costumo afirmar que o chão é "nosso melhor amigo", sempre nos amparando e nos recebendo, esperando que essa observação estimule o aluno a senti-lo de formas variadas e o faça perceber esse contato de maneira atenta para não entrar em um estado de dormência, mas, pelo contrário, que desperte sua percepção desse "novo chão".

É importante lembrar que o sentido pelo qual recebemos as sensações de contato e de pressão não se reduzem às mãos, mas sim ao corpo todo, despertando a pele do corpo todo – distinguindo também o contato dos diferentes tecidos da roupa, a pressão dos elásticos. Assim, a atenção se amplia para o corpo inteiro com sua tridimensionalidade. A pele ganha vida. "A pele é uma referência para a estimulação sensorial e motora na organização da postura, do equilíbrio e da motricidade" (Teixeira, 2000, p. 257-58).

Trabalhamos a passividade ativa: estou parado, mas estou vivo e atento. O professor deve estar sempre alertando os alunos a não se ausentar da sala e a não dormir ao deitar-se no chão. No entanto, o dormir pode ser uma necessidade a ser respeitada. A dinâmica da aula é um fator importante para que haja realmente presença nessa pausa de observação das sensações: "Na sensação incluímos, em adição aos cinco sentidos familiares, o sentido cinestésico, que compreende esforço (trabalho), orientação no espaço, o passar do tempo e ritmo" (Feldenkrais, 1977, p. 50). Deve-se também estimular a percepção dos movimentos involuntários e peristálticos, percebendo os movimentos internos, principalmente a respiração.

A respiração, na Técnica Klauss Vianna, não é direcionada com exercícios específicos, como é comum em algumas técnicas corporais. Ela é livre e acontece em consequência do trabalho de despertar e de ganhar espaços na caixa torácica e nas diversas articulações do corpo como um todo: "A reorganização da respiração é bem-sucedida na medida em que, indiretamente, nós aperfeiçoamos a organização dos músculos do esqueleto para uma melhor movimentação e posição" (*ibidem*, p. 58).

Klauss Vianna, em suas aulas, ao tecer comparação com a respiração de um bebê, afirmava que "o corpo tem sua inteligência", pois sabe por si próprio respirar. Cabe a nós conquistar espaços nas articulações e na musculatura para a respiração ser preservada espontaneamente, a fim de que seu mecanismo involuntário e natural aconteça livremente: "Na verdade, o corpo não respira apenas através dos pulmões. [...] Respirar significa abrir, dar espaço. Portanto, subtrair os espaços corporais é o mesmo que impedir a respiração, bloqueando o ritmo livre e natural dos movimentos" (Vianna, *op. cit.*, p. 71).

O despertar sensorial vai trazendo o aluno para o mundo do aqui e agora, instaurando um corpo vivo e atento: "Antes, durante e depois dos exercícios, durante a pesquisa de movimentos, todo o tempo éramos instados a manter o estado de atenção em relação ao que ocorria em nosso corpo e à nossa volta" (Neves, *op. cit.*, p. 57). Esse corpo presente possibilita o estado "ao vivo", ou seja, do corpo vivo, espontâneo e atento aos acontecimentos e sensações do tempo presente. É como se pedisse em voz ativa, presente: *Desliguem o piloto automático!*

Articulações

O reconhecimento das articulações é feito por meio da exploração das possibilidades de movimento de cada uma delas. Primeiro, elas são identificadas e localizadas no corpo, percebendo-as como encontros ósseos, com o objetivo de ganhar espaço e liberdade de movimento. Exploramos as articulações mediante a pesquisa de movimento, o enfoque anatômico como um meio de entendimento e clareza do movimento, não como um fim.

Às vezes, quando alunos deslumbrados com a anatomia em si mergulham em conceitos que não estão em sintonia com a prática, costumo alertá-los de que não é uma aula teórica de anatomia, mas sim uma aula prática, em que o sentir e experimentar é o primeiro e principal procedimento dessa técnica. O estudo teórico-anatômico apresenta-se como necessidade da prática e como reflexão para aprimoramento do que está sendo vivenciado.

Klauss Vianna direcionou seus estudos anatômicos e cinesiológicos para a busca de respostas a questionamentos de sala de aula: "Não tenho, porém, qualquer preocupação específica com anatomia. A questão é descobrir os ossos. Ou mais do que isso: é verificar os espaços que existem entre eles, porque é aí que estão baseadas as alavancas do corpo" (Vianna, *op. cit.*, p. 136). O conhecimento anatômico, nesse trabalho, é consequência de experimentações em sala de aula; portanto, é preenchido de significado prático, facilitando a percepção.

O isolamento e a independência das articulações são trabalhados por meio do estudo do movimento parcial, quando enfocamos uma articulação específica, enquanto as demais permanecem em repouso. Assim, começamos a diferenciar o que é movimento de ombro do que é movimento de braço; percebemos o movimento da perna, e que ele pode ser independente do movimento da bacia; e, com diversas experimentações, vamos tomando consciência das articulações: coxofemoral, escapuloumeral etc. A atenção às articulações é dada tanto à exploração de sua mobilidade quanto à conquista da estabilidade do corpo.

Passamos em seguida para a exploração do movimento total, quando todas as articulações participam em diferentes possibilidades de movimento e em níveis diversos. Utilizamos aqui, como aquecimento e/ou lubrificação das articulações, a transição pelos três níveis, articulando em diferentes tempos, transitando pelo agachar, sentar, deitar, levantar etc. "É muito importante executar e perceber esses movimentos, pois eles acontecem a todo momento, quando sentamos numa cadeira, deitamos numa cama ou caminhamos pela rua" (Vianna, *op. cit.*, p. 121).

Por meio de improvisações, com o uso das dobradiças do corpo, o vocabulário corporal do aluno vai aumentando, as tensões vão se diluindo e os espaços articulares se ampliam: "Os espaços correspondem às diversas articulações do corpo, onde é possível localizar importantes fluxos energéticos e onde se inserem os vários grupos musculares" (*ibidem*, p. 70).

O reconhecimento das articulações facilita o trabalho de flexibilização da coluna vertebral, possibilitando a diferenciação e a exploração de movimento dos três segmentos da coluna – as regiões cervical, torácica e lombar –, despertando o

alinhamento postural. Dá-se importância à preservação dos espaços entre as vértebras da coluna; à percepção da flexibilização do joelho, que tem ligação direta com a posição da pelve; à flexibilização do cotovelo, que tem ligação direta com a cintura escapular.

Todo o estudo tem enfoque na estrutura óssea. Além da consciência do modo de conexão de dois ou mais ossos e sua mobilidade, o esqueleto vai ganhando uma dimensão de suporte do corpo como um todo, como um sistema integral, em que uma parte interfere na totalidade: "As articulações estão interligadas e qualquer movimento em um determinado osso ou músculo leva informações para o resto do corpo" (*ibidem*, p. 140).

O aluno entra em contato com as suas tensões musculares, percebendo qual articulação está limitada e como desbloquear as tensões cerceadoras do movimento, conquistando, assim, mais liberdade para se mover. Com maior amplitude das articulações, o percurso do movimento ganha clareza e fluidez.

Peso

Este tópico corporal é uma transição do tópico anterior (articulações) para o posterior (apoios). Com liberdade de movimento nas articulações permite-se a percepção de peso de cada parte do corpo, que, por sua vez, desperta-nos os diferentes apoios no chão.

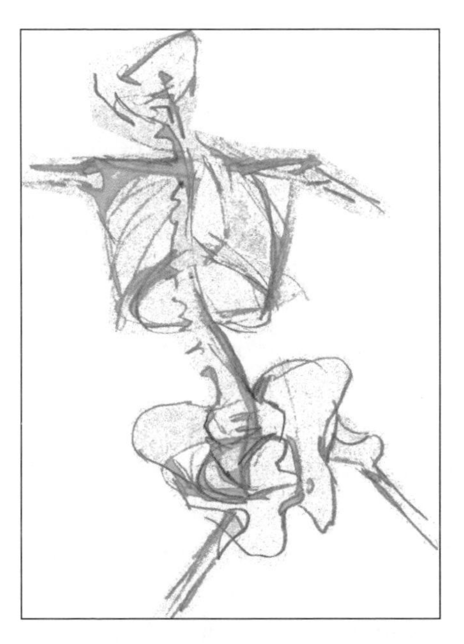

A percepção de peso evidencia a dosagem do tônus muscular (estado de tensão permanente dos músculos), pois quando eu me excedo na tensão da musculatura a sensação de peso desaparece e, em consequência, a articulação se retrai. E quando eu doso a tensão na musculatura, equilibrando o tônus muscular, isso resulta numa sensação de leveza, com esforço adequado para executar o movimento – transformando, assim, tensão muscular em "atenção muscular".

Entramos em contato com a relação peso *versus* tensão e peso *versus* leveza, pois percebemos qual é o grau de tensão necessário para a realização do movimento, atentando às tensões localizadas e desnecessárias: "Na verdade, o problema está no acúmulo de tensões, nas tensões localizadas que restringem a capacidade de movimento das articulações e dos grupos musculares, obstruindo o fluxo energético que atravessa o corpo" (Vianna, *op. cit.*, p. 106).

Nesta etapa, o trabalho a dois pode ajudar a dar mais referências relativas à percepção de peso das partes do corpo e do corpo como um todo, em diferentes posições e em diferentes relações com a gravidade. Por exemplo, o exercício em dupla, em que um aluno, ao manipular o peso do outro, percebe a parte do corpo que está tensionada em excesso, inibindo a experiência de peso. Aqui, os pontos de tensão ficam evidentes, com base na dificuldade que o aluno pode apresentar para soltar e entregar o peso de determinadas partes do corpo.

Permite-se o abandono do peso, dando uma característica pesada e "preguiçosa" ao movimento para, com base nessa noção de peso do próprio corpo, introduzir o trabalho de tônus corporal, tanto no nível baixo, no qual temos muito contato com o chão, quanto nos níveis médio e alto, em que as superfícies de apoio diminuem e a musculatura reage de forma diferente em relação à gravidade. Exploramos também o peso como impulso para transferências e deslocamentos.

Com a percepção de peso, entramos em contato com o relaxamento da musculatura, que é diferente do abandono dela. O uso do peso do corpo, não o seu abandono, favorece a flexibilização do movimento. O relaxamento é um conceito muitas vezes mal utilizado e, portanto, mal compreendido. Entendemos relaxamento como alívio de tensões desnecessárias na musculatura para desbloquear o movimento, que é diferente do movimento abandonado, sem tônus e sem presença corporal. Possibilita-se, assim, a variação de tonicidade da musculatura, dando o "colorido" do movimento, fugindo da "mono-tonia" deste.

Apoios

A princípio, como foco principal, utilizamos a sensibilização do apoio oferecido pelo chão, percebendo as partes do corpo que encostam ou não nele. Qualquer contato que o corpo estabeleça com o chão deve ser considerado suporte, suporte este que provém do solo, ou como transferência do corpo, acionando o movimento com base na pressão dos apoios no chão, ao se espreguiçar, sentar, deitar, ajoelhar, levantar etc.

O chão tem função primordial para o reconhecimento dos pontos de apoio, tanto na pausa quanto em movimento, na passagem de uma posição para outra. A relação com o solo se amplia para a relação com objetos que posso utilizar e, ainda, com o próprio corpo e o espaço que o circunda.

Os apoios são utilizados ativamente – ou seja, mediante o uso da força da gravidade, eu empurro o chão e a força-reação projeta-me em sentido oposto: "À medida que vou sentindo o solo, empurrando o chão, abro espaço para minhas projeções internas, individuais, que, à medida que se expandem, me obrigam a uma projeção para o exterior" (Vianna, *op. cit.*, p. 93-94).

Quando utilizamos os apoios passivamente, sem nenhuma pressão na superfície de contato, o chamamos de *apoio passivo*. Quando, por outro lado, pressionamos – ou afundamos – a super-

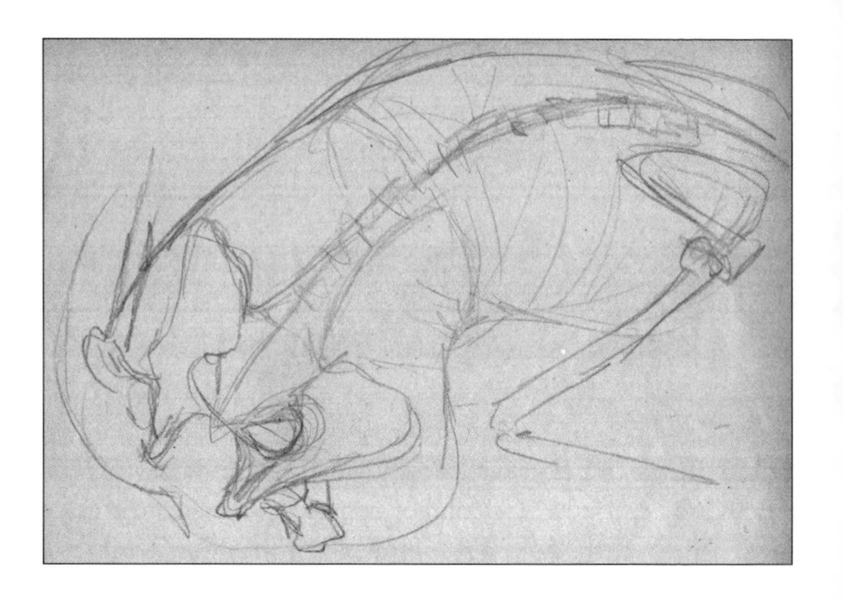

fície de contato ativando a musculatura, transformamos o *apoio passivo* em *apoio ativo*, um estado de alerta muscular de acordo com a ação. Os músculos ligados a esses apoios obtêm tônus muscular adequado, evitando o desgaste de energia para realizar o movimento. Portanto, o *apoio ativo* é a qualidade de utilizar o chão como base de suporte, em estado de prontidão para o movimento, estando alerta e presente, com "atenção muscular".

O tônus muscular adequado a cada situação é adquirido com base nas experiências vividas nas aulas, mediante a propriocepção: "Propriocepção é a percepção espacial do corpo em situações dinâmicas e estáticas. A regulação do tônus muscular é função do sistema proprioceptivo" (Tavares, 2003, p. 62). Experienciamos, com esse estudo, a diferença entre hipotonia (tensão muscular aquém da necessária) e hipertonia (tensão muscular além da necessária). O *apoio ativo* é uma conquista individual, pois cada pessoa apresenta tônus muscular próprio, que difere do das outras.

Essas observações são estimuladas não apenas em sala de aula, mas também na vida, ao caminhar, sentar, trabalhar etc. Podemos, por exemplo, perceber o desenvolvimento de hábitos compensatórios como tensões excessivas, localizadas em determinadas partes do corpo, em atividades da vida diária – demonstrando que o trabalho em sala de aula reverbera no dia a dia: "A ligação dança/vida aponta para a atividade fora da sala de aula como um permanente campo de testes das experiências que se realizam dentro das aulas-laboratórios" (Navas e Dias, 1992, p. 179).

O apoio ativo também é trabalhado na postura ereta. Qualquer contato que o corpo estabeleça deve ser utilizado como troca de ação e reação, resultando em um jogo de forças opostas: "Só quando descubro a gravidade, o chão, abre-se espaço para que o movimento crie raízes, seja mais profundo, como uma planta que só cresce a partir de um contato íntimo com o solo" (Vianna, *op. cit.*, p. 93).

Posteriormente, em uma fase mais avançada de experimentações, inicia-se o trabalho de transferências de apoio, possibilitando a leitura do caminho dos apoios do corpo, conforme a organização da musculatura utilizada durante o movimento. A percepção da ossatura amplia-se e o movimento ganha característica maleável e articulada, um "movimento fácil", quase sem esforço muscular.

Resistência

O estudo de apoio passivo-ativo possibilita a percepção de volume e amplitude do corpo, que prepara e direciona para o uso da resistência. Trabalhamos as musculaturas agonista e antagonista, criando, assim, uma força de resistência, resultando num movimento mais denso e mais amplificado, que dá a característica do corpo cênico, com tônus muscular elevado, diferenciado do tônus cotidiano.

Com o treino de resistência, utilizamos a tensão dos músculos antagonistas em sinergia com os músculos agonistas, possibilitando a "vida" do movimento até mesmo na pausa – ou seja, mesmo quando estou em pausa, trata-se de um resultado do movimento de tensões opostas equilibradas. Na pausa não há apenas interrupção do movimento; pelo contrário, existe um movimento interno, com atenção e prontidão musculares, em que o corpo ganha outra dimensão – ou melhor, uma tridimensão, o que poderíamos chamar de presença cênica.

A resistência é utilizada tanto na pausa quanto no movimento, ou mesmo em qualquer gesto, o que Klauss Vianna chamava de intenção e contraintenção: "Temos de criar espaço para as alternâncias. [...] Na ida de um gesto está contida também a vinda: é o que chamo de intenção e contraintenção muscular" (Vianna, *op. cit.*, p. 66-67).

Com a presença da resistência, o corpo ganha tridimensão (frente/atrás, cima/baixo, lados direito/esquerdo). Expandindo as costas em relação à frente, percebemos todas as direções do corpo, suas laterais, o ápice da cabeça projeta-se para cima, enquanto os pés enraizados fazem oposição, empurrando e ativando, dessa forma, o corpo por inteiro.

A abordagem do trabalho de resistência inicia-se pelo contato com o chão, passando ao trabalho de contato com a parede, depois para o contato com o outro, para, a partir daí, despertar o uso da resistência em relação ao espaço, mas sempre por meio da oposição. Poderíamos fundir resistência e oposição em um mesmo tópico corporal a ser trabalhado, mas as diferenciamos em dois momentos apenas por motivos didáticos.

Com o trabalho de resistência, aumentamos o tônus muscular com o intuito de acordar a musculatura do corpo inteiro, possibilitando, assim, mais clareza e limpeza de movimento, além da prontidão e da força de sustentação do corpo como um todo. Em sala de aula, temos o cuidado de alternar soltura com resistência para deixar claro que o movimento solto com fluência mais livre e, portanto, com menos força de resistência é diferente do movimento de fluência controlada e força de resistência mais intensa. Porém, nos dois tipos de movimento, a resistência está presente, mantendo-se o respeito aos espaços articulares. Com o uso da resistência, o movimento não se torna abandonado, independentemente da velocidade de sua execução.

Oposições

O trabalho de oposições que gera o movimento permeia todo o trabalho da Técnica Klauss Vianna, sendo ele um dos seus princípios: "Duas Forças Opostas geram um Conflito, que gera o Movimento. Este, ao surgir, sustenta-se, reflete e projeta sua intenção para o exterior, no espaço" (Vianna, *op. cit.*, p. 93). Com as oposições do corpo, podemos tridimensioná-lo, considerando-se os três planos anatômicos nos quais se realizam os movimentos: transversal, frontal e sagital.

O uso das oposições é aplicado para proporcionar espaços nas articulações por meio do jogo de forças opostas, com duas tensões antagônicas. Dá-se bastante ênfase aos espaços intervertebrais com a oposição sacro/crânio; ou, ainda, com a oposição entre as duas escápulas ou, mais especificamente, entre os acrômios; entre os cotovelos; crânio e escápulas; ísquios e calcanhares etc.: "Desse equilíbrio de forças opostas e complementares nasce minha dança" (*ibidem*, p. 130).

O estudo das oposições é o preâmbulo do processo dos vetores de força do corpo, desenvolvendo a capacidade de sentir os ossos, despertando a sutileza de direcioná-los para cima, para baixo, para a frente, para trás ou para os lados, de acordo com o movimento a ser explorado. As forças opostas são aplicadas não somente na postura ereta, mas em diversas situações de transferência do corpo – como ao se espreguiçar, ao se deitar de costas, de bruços e de lado, ao se sentar, ao se ajoelhar etc.

O trabalho das forças de oposição deve respeitar os limites anatômicos, com enfoque na ossatura, mediante o uso de direcionamentos ósseos para acionar musculaturas específicas. Vai-se criando familiaridade com a nomenclatura óssea, simplificando, portanto, o entendimento anatômico do aluno. Se tivéssemos de nos ater à nomenclatura dos músculos, que é vasta e complexa, e não à dos ossos, isso poderia dificultar a consciência do movimento, já que vários músculos participam da movimentação. Klauss Vianna exemplificava em aula: "Pensar em osso traz alongamento e projeção, pensar em músculo pode trazer tensão."

> [...] Toda vez que o corpo direciona um osso, acionam-se músculos que movem outros ossos, numa reação em cadeia, que não se provoca voluntariamente, mas que é resultado de como ossos e músculos estão organizados naquele determinado corpo. (Neves, *op. cit.*, p. 26)

As linhas de oposição do corpo são exploradas, despertando a percepção do eixo global e possibilitando a análise do ajuste da ossatura para permitir a transformação das alterações causadas pelo mau uso do corpo. Com esse trabalho, o aluno torna-se autônomo na pesquisa de seu corpo e de seu movimento.

Eixo global

A vivência e a aplicação dos tópicos anteriores proporcionam o eixo global, ou seja, a integração do corpo com a gravidade na conquista de equilíbrio. O aluno reorganiza-se, conscientizando-se da labilidade (no sentido de transitório) desse eixo, pois ele está em perpétua autoconstrução. Adquire-se a centralização do corpo com o alinhamento da estrutura óssea e o tônus muscular adequado.

Para o alinhamento ósseo, utilizamos o caminho de baixo para cima, iniciando nos pés e chegando à cabeça. Observamos os apoios dos pés e como estes interferem em toda a estrutura de equilíbrio, sustentação e locomoção. O contato dos pés com o chão interfere na posição dos joelhos, da bacia, do tronco e da cabeça. Consideramos os pés a base e a raiz da grande "árvore humana".

A coluna vertebral é um meio de união entre a bacia, a caixa torácica e a cabeça. Para trabalhar bem essa união, é preciso explorar tanto a sustentação quanto a flexibilização da coluna. Estudamos a importância do encaixe da bacia, relacionando-a com a posição da caixa torácica e da cabeça, e, com base nesse alinhamento, exploramos a independência dos membros.

No estudo do eixo global, exploramos o corpo em sua totalidade e a inter-relação de todas as suas partes. Analisamos as particularidades dos três segmentos da coluna: cervical, torácica e lombar. É importante ressaltar que coluna alongada e alinhada não é retificada e rígida, já que, anatomicamente, a coluna é sinuosa e apresenta curvas articuladas por todos os discos intervertebrais. Com a organização do eixo global, a coluna vertebral conquista uma capacidade de adaptação em variadas posturas:

> A postura, portanto, não é uma coisa fixa. É tão flexível quanto o galho de bambu e profunda como suas raízes, o que permite que meu eixo oscile para a frente e para trás de acordo com meu estado físico-emocional. Porém, à grande flexibilidade deve corresponder uma enorme força e resistência. Assim como o bambu, o corpo humano tem a propriedade de se dobrar sem se quebrar – quando respeitamos sua natureza e colocamos em prática suas potencialidades. (Vianna, *op. cit.*, p. 131)

No final desse processo, o corpo torna-se presente e equilibrado para, a partir daí, dar início ao trabalho dos vetores de força. Separamos as partes do corpo apenas por motivos didáticos, mas sempre sentindo a unidade e considerando o seu conjunto. Como o alinhamento estrutural é construído com base nos pés, esse mesmo caminho é respeitado no estudo dos vetores, sendo o primeiro vetor aplicado aos pés e o último, ao crânio, revelando a interdependência das partes. Quando trabalhamos uma parte do corpo, podemos sentir alterações em todo o conjunto.

Com o estudo do eixo, exploramos simetria e assimetria em diferentes posturas, trabalhando a relação dos membros inferiores e superiores com o tronco. Pesquisamos movimentações variadas, como espirais, recolhimento e expansão, movimentos periféricos, centrípetos, centrífugos etc.

Ao final do processo lúdico, conquistamos um corpo com maior liberdade de movimento e capacidade cinestésica mais desenvolvida, podendo registrar, conscientemente, as sensações de um corpo presente. O corpo fica preparado para um estudo mais detalhado de direções ósseas, com toda a percepção aguçada para registrar o desenvolvimento do processo em sua individualidade, respeitando os limites de cada corpo – com suas peculiaridades, memórias e vivências.

PROCESSO DOS VETORES - DIREÇÕES ÓSSEAS

O trabalho de direções ósseas está mapeado em oito vetores de força distribuídos ao longo do corpo. Inicia-se o estudo desses vetores pelos pés e finaliza-se no crânio, estando todos eles inter-relacionados, reverberando no corpo inteiro. Os vetores de for-

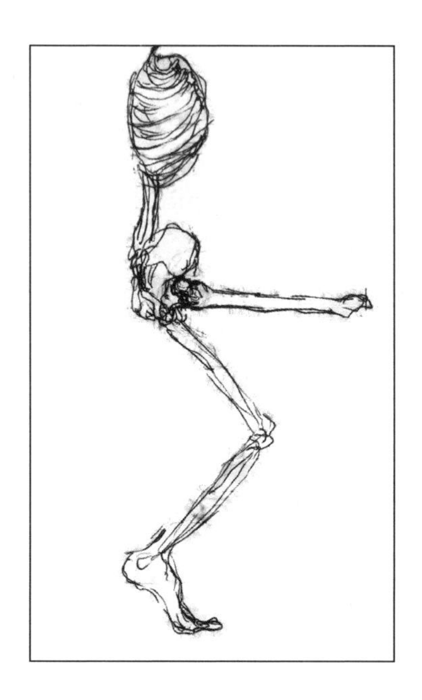

ça têm suas respectivas funções, ou seja, cada direção óssea aciona musculaturas específicas, funcionando como alavancas ósseas numa ação organizada que dirige e determina o movimento.

Como a estrutura óssea é a base desse trabalho, durante as aulas, os alunos visualizam e manipulam modelos representativos de ossatura para facilitar a percepção da própria estrutura. Não utilizamos nenhuma imagem metafórica como estímulo para o movimento. Todas as instruções são pautadas no corpo estrutural/anatômico, e, mediante direções ósseas, acionam diferentes cadeias musculares. Consequentemente, essas instruções podem acessar memórias, imagens e sensações, não dando margem a possíveis interpretações que possam distanciá-los da sensopercepção.

> A sensopercepção é um conceito difícil de definir com palavras, pois a linguagem é um processo linear e a sensopercep-

> ção é uma experiência não linear. Consequentemente, perdem-se dimensões de significado na tentativa de articular essa experiência. [...] Pode-se dizer que a sensopercepção é o meio pelo qual experienciamos a totalidade da sensação. (Levine, 1999, p. 68-69)

O propósito deste capítulo não será realizar uma análise anatômica detalhada de cada vetor, tendo em vista que o que se busca é explicitar as ferramentas utilizadas diariamente em sala de aula, ou seja, direcionar o aluno ao "corpo sentido", com o estudo vivenciado de corpo e movimento, e não ao "corpo analisado", com o estudo de anatomia do movimento.

Minha formação como bailarina, coreógrafa e professora abarca o conhecimento anatômico até o ponto em que me permite aplicá-lo com segurança no estudo do movimento e transmiti-lo com clareza em sala de aula, atentando para o fato de que, em vez de ser um conhecimento superficial, é um conhecimento adequado ao objetivo proposto pela técnica, tendo o cuidado de não me deter somente no conhecimento formal sobre o corpo humano proposto pela anatomia, fisiologia e cinesiologia.

1º vetor: metatarso

O metatarso consiste em cinco ossos metatársicos localizados no pé. É importante preservar os espaços articulares entre eles para que haja uma distribuição adequada do peso do corpo nos três pontos de apoio do pé: o primeiro metatarso, o quinto metatarso e o calcâneo, o "triângulo do pé", que oferece a base mais segura para o corpo em sua totalidade.

O primeiro vetor de força é ativado com o mesmo princípio que foi estudado no tópico "apoio ativo" – a aplicação da pressão do metatarso em direção ao solo, empurrando o chão. Como força-reação ou consequência desse vetor, os três arcos que sustentam o pé evidenciam-se, ampliando-se em sentido oposto ao do chão, auxiliando tanto na locomoção e na impulsão como no suporte de pesos que servem como amortecedores. Os arcos do pé são diferenciados entre arco longitudinal medial, que é também chamado de arco de movimento, e arco longitudinal lateral, que é também chamado de arco de sustentação e arco transverso, localizado na parte anterior do pé.

Intensifica-se a estabilidade com uma tensão constante entre o quinto e o primeiro metatarsos e o calcâneo, que empurram o chão. Quando não temos o chão como apoio, exercemos esse mesmo vetor pelo espaço da sala, com os pés dirigindo o movimento das pernas, garantindo-lhes o tônus adequado.

Além de o primeiro vetor repercutir nos pés, ele reflete também na tíbia, que gira para dentro em sentido contrário ao do tarso, e nos joelhos, deixando as rótulas na posição paralela, apontando para a frente, alinhadas entre o segundo e o terceiro dedos do pé.

2º vetor: calcâneo

O calcâneo é um dos três pontos de apoio que compõem o "triângulo do pé"; portanto, sua direção para o chão, na posição vertical, é constante. O segundo vetor consiste na direção dos calcâneos para dentro, reverberando em uma discreta rotação do fêmur para fora, acionando os rotadores, refletindo na estabilidade da articulação coxofemoral e criando uma conexão entre calcâneos/ísquios ou pés/quadril. Esse vetor é móvel, ou seja, em determinadas posturas pode ser aplicado no sentido oposto.

Os pés e as pernas mantêm-se firmes e presentes, facilitando as transferências de peso, equilíbrio e controle da articulação dos joelhos, o que lhes garante a função de "amortecedores". Os joelhos apontam para a frente, alinhados entre o segundo e o terceiro dedos dos pés. Sempre alerto o aluno para perceber que a rotação externa da articulação coxofemoral é consequência e/ou reação da ação imprimida aos calcâneos, que se direcionam para dentro, resultando na sensação de aproximação dos ísquios. A direção sai da base, ou seja, dos pés, e reverbera até o quadril. Esse caminho de baixo para cima é importante, pois é comum o aluno agir diretamente na rotação externa do fêmur e perder a base, retirando o apoio da parte interna dos pés e levantando o primeiro metatarso e o dedão.

Na postura sentada sobre os ísquios, para o exercício de alongamento da musculatura posterior das pernas, o vetor dos calcâneos é acionado em sentido oposto, ou seja, para fora, com o cuidado de não prejudicar o alinhamento paralelo dos pés e dos joelhos, favorecendo a utilização menos tensa da musculatura que circunda a coxofemoral, gerando, dessa forma, mobilidade nessa articulação e resultando na independência entre pernas e quadril. A instrução do direcionamento dos calcâneos para fora é favorável diante do encurtamento da musculatura posterior, quando o aluno se encontra sentado com o apoio atrás dos ísquios, dificultando, dessa forma, a flexão do quadril.

3º vetor: púbis

O terceiro vetor de força está relacionado com o encaixe da bacia, com a direção do púbis para cima, o que aciona a musculatura abdominal. O púbis é a parte frontal da junção dos ossos ilíacos da bacia. Com esse vetor, adquire-se maior unidade corporal, com o eixo global se estruturando desde os pés, visto que as partes superior e inferior do corpo passam a integrar melhor o centro de gravidade que, na postura ereta, está situado aproximadamente na cintura pélvica, ou seja, na região do quadril. A posição do centro de gravidade varia se a posição do corpo for alterada.

Com a direção do púbis para cima e a consequente ação da musculatura abdominal, a espinha ilíaca anterossuperior recua, alongando o músculo reto femoral. Esse vetor reverbera na tonicidade da musculatura dos glúteos e do assoalho pélvico.

Na posição ereta, o terceiro vetor resulta no encaixe da bacia, com os ísquios apontando para o chão, dependendo das facilidades e/ou dificuldades de cada indivíduo. Caso a pessoa tenha tendência à hiperlordose lombar, o terceiro vetor é acionado com uma intensidade diferente da do indivíduo que não apresenta essa postura corporal. O corpo de cada um é analisado e considerado para que o vetor seja aplicado da maneira e na intensidade adequadas.

O terceiro vetor apresenta uma variação não só quanto ao corpo de cada um, mas também quanto à posição das pernas em relação ao quadril. Por exemplo, se os ossos fêmures se encontrarem abaixo da bacia, a direção púbica será para cima; se, por sua vez, eles se encontrarem diante da bacia, sentados sobre os ísquios, o sentido do vetor é invertido para garantir maior liberdade na articulação coxofemoral.

Com o trabalho do vetor do púbis, atuamos diretamente sobre os músculos do abdome que aliviam e estabilizam a coluna vertebral, não só na pausa como nos movimentos que exigem esforço das costas. Portanto, praticamos o trabalho de "montaria" da caixa torácica em alinhamento com o quadril, já que os quatro tipos de músculos do abdome têm origem na caixa torácica e inserção na pelve.

Com a bacia encaixada, há o alinhamento do púbis com o esterno e, consequentemente, a coluna vertebral amplia-se pela ação da musculatura abdominal. Assim, observamos a importância da posição da bacia como centro de sustentação para a harmonia do tronco. Nesse momento do trabalho, fazemos a conexão da cintura pélvica com a cintura escapular.

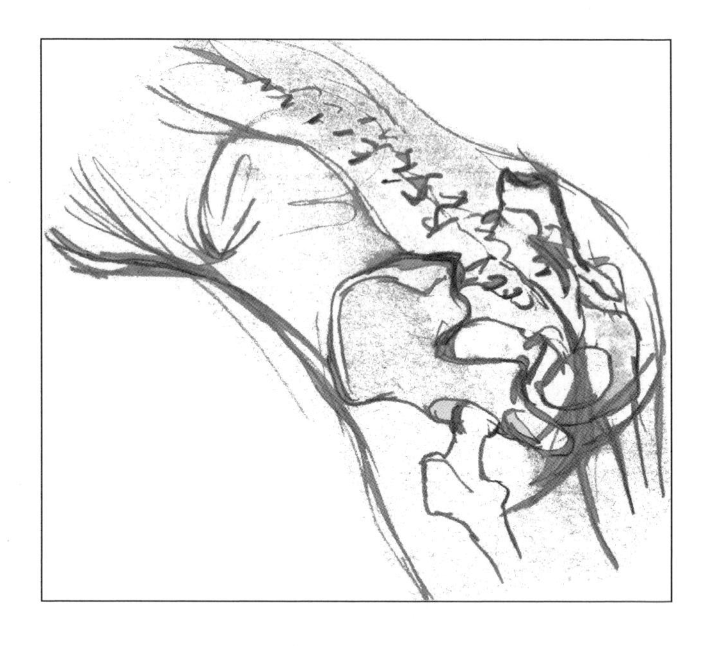

4º vetor: sacro

Com o quarto vetor, direcionamos o sacro para baixo. Tal vetor também se situa na região pélvica, portanto é diretamente relacionado com o terceiro (púbis), servindo como complementação. Pelo fato de o osso do quadril ser tratado como uma unidade, qualquer direção aplicada ao púbis refletirá inversamente no sacro. Separar púbis e sacro em vetores distintos é, entretanto, apenas uma medida didática de diferenciação entre a musculatura anterior abdominal, acionada pelo terceiro vetor, e a musculatura posterior, acionada pelo quarto vetor:

> A musculatura correspondente à parte posterior do corpo é aquela que nos mantém em pé e também a que mais cedo nos derruba. A falta de exercícios apropriados ou executados de maneira equivocada torna essa musculatura mais forte e mais

> tensa ainda, prejudicando a ação da musculatura anterior, que nos direciona.
>
> Assim, se a força posterior permite um certo equilíbrio, a força muscular anterior orienta esse equilíbrio no espaço. Podemos, então, dizer que as costas são a base de sustentação de nossa forma, e a nossa frente o ponto de partida do nosso movimento. (Vianna, *op. cit.*, p. 127)

O aluno que apresentar dificuldade para o encaixe e a sustentação da pelve irá sensibilizar-se pelo direcionamento do púbis ou do sacro, ou mesmo pelos dois vetores agindo em sinergia, dependendo da sua realidade corporal. Com o quarto vetor, despertamos a presença e a projeção das costas. Ganhamos estabilidade e base de equilíbrio com referência à musculatura posterior (quarto vetor). Já com o terceiro vetor (púbis), o foco está no abdome, garantindo a percepção da pelve como dirigente do movimento.

O quarto vetor libera as pressões dos discos intervertebrais da região lombar, resultando no alongamento da musculatura lombar. A pelve encaixa-se e o sacro readquire uma posição mais próxima da vertical. A coluna lombar alonga-se, atingindo seu comprimento real. As vértebras lombares distanciam-se, proporcionando uma ampliação dessa região.

5º vetor: escápulas

Com o quinto vetor, direcionamos as escápulas para baixo e para os lados, opondo os acrômios e conquistando, dessa forma, a lateralidade dos ombros e a ampliação da cintura escapular. Nota-se uma abertura do espaço interno na região da caixa torácica, proporcionando o alívio das tensões depositadas no músculo trapézio.

Com a sensibilização da cintura escapular, que consiste nos ossos das escápulas, clavículas e da articulação escapuloumeral, as escápulas acomodam-se na caixa torácica, não ficando salientes ou saltadas. Elas se abrem, o que resulta na ampliação não somente das costas, mas também da região frontal das clavículas e dos peitorais, uma vez que o movimento da clavícula é guiado pelo deslocamento da escápula. Com o encaixe das escápulas para baixo e a oposição dos acrômios, a clavícula torna-se horizontal, em vez de apontar oblíqua para cima, conquistando-se assim o "sorriso das clavículas" (Klauss Vianna, em sala de aula).

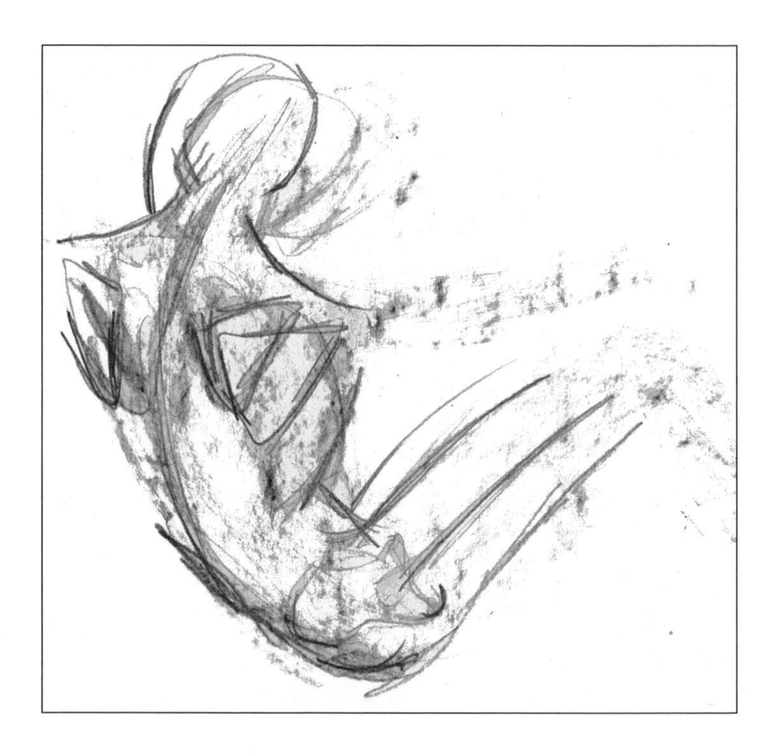

6º vetor: cotovelos

O sexto vetor consiste na direção lateral dos cotovelos, possibilitando ao úmero complementar a direção das escápulas, resultando na ampliação do espaço da articulação escapuloumeral e na consequente rotação do úmero para dentro. Esse direcionamento evita a sobrecarga da articulação umeroulnar e radioumeral, causada pela hiperextensão da articulação dos cotovelos. Com esse vetor, acionamos a "musculatura da asa" e, em consequência, as escápulas se separam.

7º vetor: metacarpo

O metacarpo consiste em cinco ossos metacárpicos localizados na mão, onde se aplica o sétimo vetor. O metacarpo deve, nessa perspectiva, ser girado para fora, direcionando a rotação externa do antebraço, completando, portanto, a torção do braço. O sétimo vetor dá função às mãos e estabelece a unidade entre escápulas, braços, antebraços e mãos.

Tal vetor amplia os espaços articulares dos metacarpos e das falanges, amplificando os movimentos das mãos e tornando-as apoios ativos nos níveis baixo e médio quando em contato direto com o chão. Mesmo no nível alto, porém, as mãos podem ser utilizadas como apoios no espaço.

Com a ativação do sétimo vetor, observamos a funcionalidade e a expressividade das mãos. A musculatura é trabalhada de forma que amplie os espaços entre os ossos do metacarpo, ampliando também a maneira como interferem na cintura escapular como um todo.

8º vetor: sétima vértebra cervical

Para a complementação do trabalho com vetores, há aquele que tratará do alinhamento final do corpo: o crânio. Ele é aplicado na sétima vértebra cervical, direcionando-a anteriormente pela ação do músculo longo do pescoço. Essa alavanca eleva o crânio posteriormente, alinhando-o na linha gravitacional do eixo global. Esse vetor proporciona a sustentação da cabeça e a flexibilidade da coluna cervical.

Com a aplicação do oitavo vetor na postura ereta estável, temos a sensação de alinhamento da região occipital com a sétima vértebra cervical. Consequentemente, obtemos a posição do queixo paralelo ao chão e a cabeça fica então livremente equilibrada no pescoço, o que não significa que se deva adotar uma posição fixa do crânio, mas que seu equilíbrio esteja numa relação dinâmica adequada.

Trabalha-se o oitavo vetor considerando a curvatura natural do pescoço. Tal vetor proporciona espaço na cavidade da traqueia, melhorando o uso das cordas vocais. Nota-se uma amplitude no campo visual, modificando a posição dos olhos com a direção do olhar, utilizando-o como apoio no espaço. Os músculos posteriores e anteriores do pescoço ativam-se, descomprimindo as vértebras cervicais. O crânio dirige a exploração da flexibilidade da coluna vertebral como um todo, ampliando os espaços intervertebrais. A cabeça deixa de sobrecarregar as vértebras da coluna e o indivíduo "cresce".

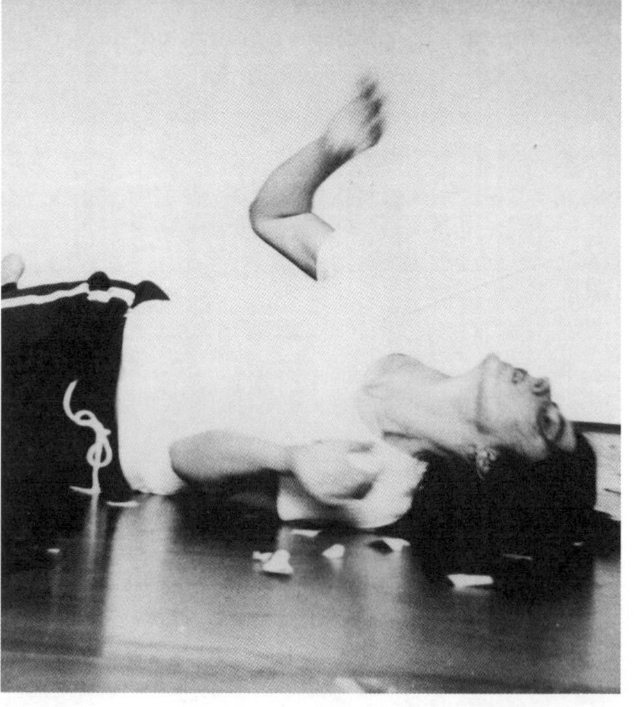

3 | Processo criativo - *Corpo sentado*

"Descobri que a vida é bailarina e que nenhum ponto inerte anula o viravoltear das coisas."
CARLOS DRUMMOND DE ANDRADE (2002, p. 40)

"Necessitamos perceber a importância de continuar alimentando o processo ao invés de torná-lo um produto acabado."
RAINER VIANNA

A etapa da criação é resultante das etapas anteriores, pois, com base na minha vivência como bailarina, coreógrafa e professora dessa técnica, aprofundei-me em um processo de criação em dança seguindo os tópicos do processo didático, utilizando-os como "temas corporais". A escolha de colocar o processo criativo em um capítulo à parte teve como intuito o cuidado de deixar claro que este é um processo de criação coreográfica que, na prática, fui desenvolvendo, pesquisando. Não se trata, portanto, de uma descrição exaustiva dos procedimentos de Klauss ou Rainer Vianna na criação, mas de uma fusão entre elementos aprendidos com os Vianna e aspectos de minha formação pessoal. É evidente que não fica excluída desse processo a vivência de criação com Rainer, na Escola Klauss Vianna.

A abordagem corporal da pesquisa coreográfica *Corpo sentado* tem por base a *escuta* das potencialidades perceptivas do corpo, das memórias registradas e imprimidas no decorrer da vida, elementos que se expressam na estrutura e na organização corporal, deixando, assim, os vestígios no corpo. Cada corpo é vestido de seus vestígios.

Vestígios de dança

Vestígios de dança em minha pele
Raios de luz refletem em seus olhos
Ervas dançam através de todos os sentidos
nos meus sonhos
Vestígios de movimento
Árvores balançam-se com o vento
Toda minha vida uma dança.

Petra Lehnardt-Olm

Chegou às minhas mãos esse poema, "Vestígios de dança", que me tocou. Digo "chegou às minhas mãos" porque, nesses tantos anos como criadora-intérprete, pude constatar que, quando se inicia um processo criativo, algumas possibilidades abrem-se para aquele momento, pois o olhar fica todo voltado para o tema e para a necessidade da criação. Ao longo dos anos, fui aprendendo a abrir minha percepção e minha recepção a tudo que me chame a atenção e possa contribuir com o processo de criação, como músicas, luminosidades, cenas e relações. Pude perceber, principalmente, a importância de me situar em meio ao processo, localizando o que sinto e de que forma tal aspecto me impressiona.

Procuro registrar as impressões no caderno de criação, no qual anoto, por exemplo, reflexões sobre a prática e toda e qualquer ideia que me vier durante ela. Às vezes, depois do aquecimento, antes de iniciar os ensaios práticos, acabo escrevendo em vez de ensaiar. A escrita passou a fazer parte do processo criativo. A princípio, esse montante de percepções e registros proporciona uma sensação que se assemelha à figura de um polvo, em que vários tentáculos se mexem em diversas direções, mas há ainda um centro de sustentação concentrado na calma, no respeito e na confiança no próprio trabalho. Além disso, as vivências marcadas em meu corpo vão trazendo, aos poucos, as respostas. Aos poucos, mesmo. Concluo que as palavras-chave de uma criação são: dúvida, desânimo e ânimo para cutucar aquela dúvida. E trabalho, muito trabalho!

A princípio, "Vestígios de dança" seria o título da coreografia. Fiquei receosa de citar a palavra "dança" no título. Medo do óbvio: um trabalho de dança chamar-se "Vestígios de dança". Ao me colocar tais questões, algumas respostas foram surgindo, entre elas: é uma dança dos vestígios que ficaram no meu corpo da técnica e de toda a minha história com a dança, bem como dos vestígios que Klauss Vianna deixou em diversas pessoas etc.

"Dança" é aquela palavra que, para cada um, terá um significado diferente. Cada resposta tem o seu lado verdadeiro, mas nenhuma pode se fechar como a mais verdadeira; esbarra-se, portanto, em uma multiplicidade de respostas. Ficam evidentes a realidade e a singularidade de cada um para interpre-

tar um mesmo conceito. O que é dança? Se eu desse várias definições aqui, sempre estaria faltando alguma colocação mais precisa. Concluo que é pessoal e depende do momento em que você esteja. Cada um tem a sua verdade, cada um tem a sua escolha, cada um tem a sua dança. Cabe aqui uma colocação de Laban:

> Há por trás de todo acontecimento e de toda coisa uma energia que dificilmente se pode dar nome. Uma paisagem escondida e esquecida. A região do silêncio, o império da alma; em seu centro, há um templo em movimento. As mensagens vindas dessa região do silêncio são, no entanto, tão eloquentes! Elas os falam, em termos sempre cambiantes, de realidades que são, para nós, de uma grande importância. O que nós chamamos habitualmente de "dança" vem dessas regiões, e aquele que for consciente disso é um verdadeiro habitante desse país, tirando a sua

> força diretamente desses tesouros inesgotáveis. (Laban *apud* Launay, 1999, p. 73)

Tudo está inscrito no corpo. Este capítulo é a abertura do meu diário de trabalho em dança, porque tudo em que acredito hoje e abordo aqui vem de um processo de digestão e criação que se iniciou em 1986. Nessa ocasião, criei a minha primeira coreografia, pois até então só dançava coreografias alheias. Como dançar? O que dançar? *De que jeito?* Esse foi o título da coreografia criada em parceria com Marinês Calori. Depois, foram realizados: *Meias-noites e meias* (1987), *Jeca* (1989), *Declaro ação* (1990) e *Quase mudo* (1991), trabalhos que também compõem a minha prática na criação antes de aplicar a Técnica Klauss Vianna no processo criativo.

Exponho aqui o processo criativo de *Corpo sentado*, explicitando os temas corporais da técnica como motivo coreográfico, pois foi dessa forma que vivenciei o processo coreográfico com Rainer Vianna, cujo resultado foi apresentado na Escola Klauss Vianna em 1994. Desde então, venho exercitando – e ao mesmo tempo fruindo – esse processo em diversas criações. Por exemplo:

- *Corpos de rua* (1995);
- *Acordamaria* (1996);
- *Arquitentar* (1997);
- *Há dentro...* (1998);
- *Cacos de louça acaso quebrada* (2000).

Corpos de rua (1995)

Arquitentar (1997)

Cacos de louça acaso quebrada (2000)

Acho importante citar todas as minhas criações anteriores, pois acredito que o processo criativo não tem fim: um trabalho interfere no outro e contribui para o próximo como um fio da meada que constrói o próprio enredo, que vai sendo recriado a cada espetáculo com um núcleo que é comum a todos os trabalhos. Trata-se de uma pesquisa incessante em movimento.

As coreografias nascem de uma mesma necessidade, que não é saciada nas estreias, pois o processo de criação sempre está em movimento e aperfeiçoamento. O espetáculo acontece como continuação de experiências. A criação não está só no produto, mas no percurso, portanto não é um fim, mas um meio de validar a pesquisa que está em constante transformação.

No processo coreográfico vivenciado na Escola Klauss Vianna com Rainer, ele propôs, como motivação de criação, poesias de Cora Coralina e o uso do objeto bexiga. Solicitou a criação de uma frase coreográfica, com base nesses elementos, de forma livre e espontânea. Ele trabalhou a célula coreográfica inicialmente criada fazendo a leitura do vetor mais evidente em cada movimento; a partir daí, toda a coreografia se embasaria no uso desses vetores. Afirmava que "a direção óssea traz a força e sustentação da musculatura e, consequentemente, a sensação e a expressão do movimento".

Como caminho para a composição, Rainer propôs, a certa altura, a eliminação do objeto para amplificar o uso do corpo e dos vetores para se expressar, afirmando que o restante eram elementos que não deveriam sobressair diante do movimento. Não se falava mais da poesia utilizada como estímulo nem da bexiga usada como objeto cênico, já que todos os movimentos eram de manipular e de relacionar a bexiga com o volume do corpo, com o não volume, com a elasticidade e os sons provocados por ela. Resultado: o corpo se desestabilizava e, a partir daí, amplificava a sua projeção e todas as sensações e qualidades de movimento trabalhadas anteriormente e que já estavam presentes, mesmo com a ausência do objeto.

Foi um trabalho muito interessante, que, no entanto, me proporcionava a sensação de insatisfação por parecer apenas um estudo técnico. Queria mais, queria música, o objeto, pois eu o considerava cênico; queria colocar o subtexto da poesia; enfim, como criadora, eu queria mais ingredientes, apesar de ter gostado do resultado final. A coreografia chamava-se *A bola*. A insatisfação permanecia porque eu estava em pesquisa, e é justamente a insatisfação e a inquietação que movem uma investigação. O pesquisador está sempre em busca, abrindo portas que levam a outras portas a serem abertas.

Sempre inicio um processo coreográfico com "inação", com aquela sensação de impotência; os laboratórios se limitam a preparação corporal e improvisações. Quando se está nessa etapa, o processo criativo já está em andamento. Não desconsidero esse início de avalanche de "nãos". Percebo que o vazio da negação abre espaço para o processo de elaboração de afirmações. O primeiro movimento de afirmação é o que chamo de "vômito coreográfico". É aquela frase ou várias frases que saem de uma só vez. Certos movimentos que acompanham e se repetem, mesmo em diferentes situações de improviso. Cabe aqui ressaltar que todo o processo criativo parte de improvisações que vão se estruturando, ganhando sentido conforme a necessidade de criação e expressão.

A Técnica Klauss Vianna fornece instrumentos para o treinamento técnico do bailarino com base em diversos focos de abrangência, como o estado de prontidão para o movimento – ou seja, a habilidade de estar alerta e presente com mínima tensão –, a observação do corpo em movimento, a autonomia do aluno para a criação e conexão e a relação com os ambientes interno e externo, sendo o treinamento técnico enfatizado não como repetição mecânica, mas como desenvolvimento de percepções, vivências e aptidões. De certa forma, o treinamento do bailarino em sala de aula fica associado à criação cênica, na medida em que entrelaça a técnica com a criação. É uma via para transpor para o palco o que é vivenciado em sala de aula.

No momento da criação, o que o bailarino faz com o seu corpo treinado? Esse corpo está disponível para o pensamento criativo? Quanto ao vazio explicitado anteriormente, segue aqui uma anotação do caderno de criação:

O vazio é grande.
O vazio...
O vácuo, o nada.
Tenho de esvaziar para criar.

Trabalho com duas linguagens: teórica e prática/criativa. Achar uma convergência nessas duas linguagens é o grande exercício e também o grande conflito. Um caminho foi encontrado quando resolvi fazer uma espécie de ligação poética entre o escrever e o criar, com a atenção de não deixar essa realidade se tornar um problema, mas sim um desafio.

Considerando que um trabalho de pesquisa não é produto, mas processo, a criação de *Corpo sentado*, mais do que uma ação, é uma reação a uma contradição, um paradoxo: um corpo de anos de prática ter de ficar anos sentado em estudos e digitações para a conclusão do registro de uma pesquisa. Mesmo que a prática tenha continuado – já que é meu campo de pesquisa –, o *Corpo sentado*, muitas vezes, ficou mais em evidência.

Trago aqui não apenas o sentido pessoal, mas o subtexto geral do corpo sentado, corpo fixado, corpo acomodado, corpo abandonado: não só o corpo sedentário que nossa sociedade constrói com todas as estratégias de não movimento, mas o corpo preso em uma realidade cristalizada e imutável, como o próprio bailarino pode vivenciar na sua dança ou qualquer indivíduo em relação à própria vida.

> Um universo de atrofiados, paralisados durante todo o dia no escritório, no automóvel, em casa, diante da televisão, à mesa, e que, durante a semana, só fazem funcionar uma parcela mínima do córtex cervical, precipitam-se, quando chega o *weekend* ou feriado, numa atividade pseudoesportiva incoerente e sem qualquer relação com a existência profunda de cada um e de todo o mundo: aqui o espírito, lá o corpo, mais adiante o sexo, do outro lado o coração – vivissecção incessante cujo tormento é profundamente sentido por todo ser humano nos dias de hoje. (Béjart *apud* Garaudy, 1980, p. 9)

Nos registros de trabalho, teci as seguintes palavras:

O corpo sentado transforma-se em corpo sentido.
O corpo senta e sente... E, com o tempo, o corpo-templo contempla...

Cada vez mais, somos treinados para o fazer e o falar, mas não para o escutar. Nesse trabalho coreográfico, a escuta do corpo permeia todo o processo. Que corpo é esse? Não importa escolher um corpo, uma única referência. Na Técnica Klauss Vianna não existe modelo, não existe a relação binária e dicotômica de certo/errado, feio/bonito ou bom/ruim. Buscamos ampliar a disponibilidade do corpo em diversas realidades, ou melhor, na sua realidade hoje, flexibilizando-o e não o enrijecendo no que supostamente possa ser considerado o "melhor". Escutar o corpo... Isso já causa um movimento e uma alteração no corpo. O corpo presente. Aqui e agora.

Observo em meu corpo e no corpo de meus alunos que a Técnica Klauss Vianna propicia a transformação do "corpo sentado" para o "corpo sentido", favorecendo reflexões como:

Como você sente o seu corpo?
O que move o seu corpo?
Falam tanto de corpo e falam tão pouco do corpo próprio...

Os temas corporais trabalhados em *Corpo sentado* são os tópicos do processo lúdico e todos os vetores de força. A cada etapa, um tema corporal é escolhido como caminho para acessar o corpo. É bem verdade que há o cuidado de enfocar realmente o tópico escolhido, pois se a criação ficar muito solta pode-se ficar preso naquilo que sempre se faz ou se gosta de fazer, o que chamo de vício de movimento. Entretanto, quando fechamos o foco em um tema, o abrimos para novas possibilidades. Portanto, o processo técnico é facilitador para a vivência do corpo em criação.

Por meio desses estímulos técnicos estruturais, percebo como posso lidar com os outros estímulos: música, luz, figurino, objeto, ambiente etc., resultando em um encadeamento de relações. Na realidade, estamos o tempo todo contaminados pelo exterior e tornamos essa percepção consciente como instrumento de trabalho. Não se distanciar da sala para não se distanciar do próprio corpo. O criador-intérprete é "guardião" de sua cena. Utilizo-me, nesse processo do *Corpo sentado*, de mais de um estímulo: projeções de *slides* que desenham a cena conforme a necessidade de expressão. As fotografias são de corpos sentados e em movimento, e os desenhos são estilizações da ossatura humana.

À medida que os estímulos chegam, acolho-os e utilizo-os, internalizando-os na criação. Não se trata de etapas lineares. O processo criativo apresenta-se com várias janelas abertas e sobrepostas umas às outras em uma mesma área de trabalho, a ser acessadas quando for conveniente.

Além de todos os desafios que o criador-intérprete enfrenta, aqueles que mais exigem atenção – principalmente em um trabalho solo – são a falta de autoestima crônica do artista neste país e a eterna busca do novo. Acredito que não exista o novo: a originalidade só acontece mediante um novo arranjo das coisas. Parafraseando Paulo Leminski (1996, p. 44): "O novo não me choca mais. Nada de novo sob o sol. Apenas o mesmo ovo de sempre choca o mesmo novo".

Apesar de todo o prazer de se expressar com liberdade, a solidão e o constrangimento permeiam a criação de dança-solo, quando se tem de se desdobrar em bailarina, coreógrafa, diretora e, nesse caso, como escritora de todo este processo. Sobre o desdobrar-se, o depoimento de Bob Ernst pontua:

> Quando está fazendo um trabalho solo tem de ser o ator, o diretor, o escritor. É importante conhecer a si mesmo em todas essas funções e saber em que momento cada um predomina. Então, eu posso estar improvisando, trabalhando arduamente, suando muito e achando aquilo muito bom, quando de repente o escritor surge e eu começo a ouvir palavras e começo a me mover menos e penso: "Oh, seria melhor eu colocar essa imagem em palavras". E o que é diferente agora de quando comecei a trabalhar é que eu posso retomar o trabalho diretamente. E, se é o momento de o diretor aparecer, eu fico atrás e olho para a aura que ficou no espaço um pouco mais... E tudo isso em contraste com toda a ansiedade inicial e o constrangimento, toda a coragem está justamente em ir para o estúdio sozinho e superar o constrangimento. (*Apud* Costas, 1997, p. 67)

Nesse trabalho, além das projeções de *slides*, utilizo dois objetos cênicos: uma cadeira e papéis picados. Os elementos visuais que compõem o ambiente cênico, como o papel, a cadeira, os desenhos e as fotografias projetados em cena, dialogam com a dança. Para facilitar o processo de criação, elaborei um roteiro com os "temas corporais" utilizados em cena. Situo, a seguir, entre parênteses, as páginas referentes aos tópicos da Técnica Klauss Vianna que estão explicitados no Capítulo 2 deste livro, para situar o leitor no que consiste cada "tema corporal" utilizado em cada momento da criação e também no momento do espetáculo:

1º MOMENTO: Presença (veja a p. 56).

Reconhecimento do espaço, das pessoas presentes e de como eu me incluo nesse espaço para criar relações no instante da cena.

2º MOMENTO: Resistência (veja a p. 67).

Intenção e contraintenção. O resultado do movimento de tensões causado pelas oposições.

3º MOMENTO: Apoios (veja a p. 65).

Transferência de apoios: o caminho dos apoios no corpo e em relação ao chão.

4º MOMENTO: Oposições (veja a p. 69).

O trabalho de oposições que gera o movimento. Para o uso das oposições, utilizo os oito vetores de força, focalizando cada um deles separadamente conforme a necessidade de expressão, pois diferentes direcionamentos ósseos levam ao uso de diferentes cadeias musculares e, consequentemente, a diferentes emoções, sensações etc. O uso dos vetores em cena não é ao acaso, é escolha, que abre para um plano infinito de possibilidades.

5º MOMENTO: Peso (veja a p. 63).

O uso do peso do corpo favorece a flexibilização do movimento. Nesse momento, há também a utilização de impulsos no espaço. A coreografia aqui tem a característica de soltura, fluidez e leveza, pois o uso do peso do corpo traz a leveza do movimento.

6º MOMENTO: Eixo global (veja a p. 71).

São exploradas as variações de eixo do corpo fazendo-se uma relação direta com as fotos projetadas durante o desenrolar da coreografia. Fotos de diferentes pessoas e corpos, diversos eixos. São exploradas as possibilidades e a expressividade da coluna vertebral.

7º MOMENTO: Articulações e apoios (veja as p. 60 e 65).

Exploração das articulações com base no movimento parcial/total e no estudo dos apoios em relação ao objeto cênico utilizado: a cadeira.

FINALIZAÇÃO: vento esvoaçando os papéis do palco e o tecido do figurino, provocando reações de movimentos que partem da pele. Sensações... *corpo sentido.*

Essa pesquisa de criação busca tornar mais permeável o ensinamento técnico de sala de aula para que ele também vigore em um trabalho estético, ancorado na ideia da singularidade do criador que possibilita a pluralidade de pensamentos, sensações e ações criativas.

Corpo sentado

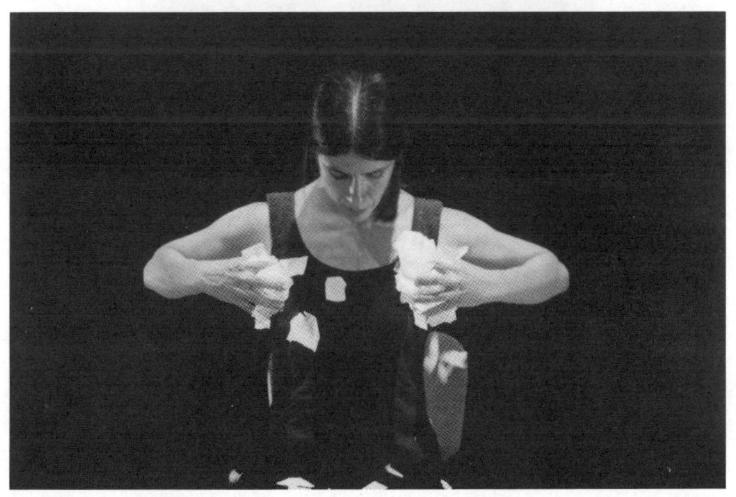

FICHA TÉCNICA

Criação e interpretação:
Jussara Miller
Figurino e orientação/ambientação cênica:
Bukke Reis
Fotos/*slides*:
Christian Laszlo
Desenho de luz:
Cristiano Pedott
Poema:
Fernando Pessoa (Alberto Caeiro)

E os meus pensamentos são todos sensações.
Penso com os olhos e com os ouvidos.
E com as mãos e os pés.
E com o nariz e a boca.
Pensar uma flor é vê-la e cheirá-la.
E comer o fruto é saber-lhe o sentido.

Fernando Pessoa

4 | Considerações finais

O olhar sobre a Técnica Klauss Vianna aqui explicitado pretende clarificar as lentes focadas sobre ela e, mais do que tudo, compartilhar o momento de uma técnica que se personaliza de forma cada vez mais firme – firmeza essa construída com trabalho minucioso, pesquisa, reflexões e movimento, muito movimento, revelando a sua eficácia ao longo de longos anos de aplicação.

Para além das discussões sobre a validade da sistematização da Técnica Klauss Vianna (que encontrou resistência em afirmações – ou interpretações – lançadas ao ar de que "não é técnica"), o propósito deste livro foi permitir uma apreciação natural e holística do entendimento de uma pesquisa. É importante ressaltar que se trata de uma pesquisa que nasceu da prática corporal de um bailarino pesquisador e foi sendo transmitida, na prática, a outros bailarinos pesquisadores, como rios afluentes que deságuam no grande oceano do estudo do corpo e do movimento. Poderia esse rio ter secado em 1992 ou 1995, com a partida, respectivamente, de Klauss e Rainer Vianna? Sendo assim, o trabalho ficaria apenas nas lembranças dos privilegiados que fruíram de suas aulas. Lembranças no corpo... essas ficam e não se cristalizam.

A continuidade de um processo de uma técnica depende da autonomia e da atuação dos praticantes pesquisadores. Quando se pediu a Gerda Alexander, criadora da eutonia, um conselho aos educadores formados por ela, a pesquisadora respondeu: "Vocês devem ser seu próprio guru; não necessitam de um professor que esteja por cima de vocês. A responsabilidade de seu trabalho recai sobre vocês mesmos. Eu somente mostro-lhes o caminho para que vocês façam suas próprias descobertas" (Alexander *apud* Gainza, 1985, p. 128). Atribuir a responsabilidade de assumir seu próprio processo de pesquisa didática e de criação ao educador é uma premissa na Técnica Klauss Vianna.

O legado deixado por Klauss Vianna é evidente e gerou um movimento, um fluxo de pesquisa e de trabalhos corporais de bailarinos que o sucederam, os quais não se mostraram estanques, mas mantiveram viva a investigação contínua, enraizada nos percursos dos Vianna. A pesquisa de Klauss Vianna é como o leito de um rio que cada um preenche com a própria água, com a própria metodologia; e o curso dessa água, na ação de cada um, vai redesenhando seu leito. O importante é deixar a água fluir de forma que dê espaço para validar abordagens atuais de estudiosos e praticantes das artes do corpo cujo trabalho está calcado nas práticas desenvolvidas pelos Vianna.

Hoje, no século 21, a prática corporal de Klauss Vianna tem sido cada vez mais reconhecida no Brasil, tanto no que se refere à pesquisa pedagógica quanto às produções artísticas. Essa técnica vem influenciando diversas gerações de artistas reconhecidos nacionalmente e, ainda, de educadores formadores da dança contemporânea brasileira, profissionais que apresentam caminhos semelhantes em torno de um eixo comum – os princípios de Klauss Vianna – e, de alguma maneira, ainda fazem viver seus pensamentos de pesquisa e criação na cena contemporânea da dança.

O movimento causado pela pesquisa de Klauss Vianna é cíclico, ou seja, um conjunto de transformações que levam um sistema a um estado final que contemple o inicial, de forma helicoidal como é o ciclo da vida, não excluindo, mas acolhendo a experiência corporal do indivíduo em sua transformação.

É bem verdade que, depois da partida de Klauss e Rainer Vianna, houve um recolhimento dos profissionais que trabalharam com a técnica, cada um continuando com o seu trabalho em diferentes espaços e atuações, de certa forma digerindo as experiências vivenciadas. Depois de tantos anos, as vozes estão ecoando e cruzando-se em uma fértil comunicação que fortalece a pesquisa de Klauss Vianna. A voz deste livro pode soar como um grito, um eco, um sussurro, ou mesmo como "um pulsar quase mudo". Depende, mais uma vez, do momento e da escuta de cada um.

LEMBRANDO KLAUSS

Os amigos de Klauss lembram-se de seu corpo enorme, suas mãos enormes, seus pés de dedos enormes. Os amigos de Klauss lembram-se daquele homem enorme, pleno de afeto, solidariedade e amor.

Os amigos e alunos de Klauss sentem uma saudade enorme. É, contudo, reconfortante saber que maior do que a saudade é a força das ideias que ele ajudou a espalhar pelo mundo.

Hoje, no Brasil, dificilmente se falará em novas técnicas corporais de preparação do dançarino contemporâneo sem ter como referência o trabalho desenvolvido por Klauss no passado.

Atualmente, seus ex-alunos, espalhados por todo o país, vêm atuando com competência na aplicação da educação somática e de várias outras técnicas que têm uma nova abordagem não mecanicista do corpo.

A presença de Klauss, tanto na área de teatro quanto na de dança, caracterizou-se como um marco ou mesmo um divisor de águas. Diversos são os atores e dançarinos que afirmam profundas mudanças em suas trajetórias e configurações performáticas depois de terem tido experiências artísticas pedagógicas com ele.

Por outro lado, não é possível entender a história e a inovação da dança em Minas Gerais, na Bahia, no Rio de Janeiro e em São Paulo, onde Klauss morou e atuou profissionalmente, sem levar em conta a sua participação. Sua presença foi um marco de renovação e um salto de qualidade para a dança que nesses lugares se fazia.

Em Minas, Klauss foi pioneiro, colocando profundas mudanças metodológicas no ensino do balé e introduzindo o conceito de modernidade em suas criações artísticas. Na Bahia, foi fundamental para a consolidação da Escola de Dança da Universidade Federal da Bahia, introduzindo, inicialmente, o ensino do balé aplicado ao profissional da dança contemporânea e, em um segundo momento, preparando seguidores de seu sistema de técnica corporal. No Rio de Janeiro, implantou o ensino da expressão corporal e atuou na área de teatro como ator e diretor teatral. Em São Paulo, como um atrator, Klauss reuniu os mais importantes dançarinos da época e contribuiu para a definitiva afirmação da dança contemporânea no contexto artístico daquela metrópole.

Klauss como mestre, como artista e como amigo é impossível de ser esquecido. Mas lembrar Klauss é um exercício plural, pois seu caminho esteve sempre iluminado por duas outras estrelas, que foi Rainer e é Angel.

• Dulce Aquino
Professora doutora da
Faculdade de Dança/UFBA

BIBLIOGRAFIA

ANDRADE, Carlos Drummond. *Farewell*. Rio de Janeiro: Record, 2002.

ALEXANDER, Gerda. *Eutonia – Um caminho para a percepção corporal*. São Paulo: Martins Fontes, 1991.

CALAIS-GERMAIN, Blandine. *Anatomia para o movimento: introdução à análise das técnicas corporais*. v. 1. São Paulo: Manole, 1992.

CALAIS-GERMAIN, Blandine; LAMOTE, Andrée. *Anatomia para o movimento*. v. 2. São Paulo: Manole, 1991.

CALAZANS, Julieta; CASTILHO, Jacyan; GOMES, Simone. *Dança e educação em movimento*. São Paulo: Cortez, 2003.

CAPRA, Fritjof. *O ponto de mutação*. São Paulo: Cultrix, 1982.

COSTAS, Ana Maria R. *Corpo veste cor*. Dissertação (mestrado em Dança), Universidade Estadual de Campinas, Campinas (SP), 1997.

EHRENFRIED, L. *Da educação do corpo ao equilíbrio do espírito*. São Paulo: Summus, 1991.

FELDENKRAIS, Moshe. *Consciência pelo movimento*. São Paulo: Summus, 1977.

FORTIN, Sylvie. "Educação somática: novo ingrediente da formação prática em dança". *Estudos do Corpo*. Cadernos do Gipe-CIT, n. 2, fev. 1999, p. 40-55.

GAINZA, Violeta H. *Conversaciones com Gerda Alexander – Vida e pensamiento de la creadora de la eutonia*. Buenos Aires: Paidós, 1985.

GARAUDY, Roger. *Dançar a vida*. Rio de Janeiro: Nova Fronteira, 1980.

LABAN, Rudolf. *Domínio do movimento*. São Paulo: Summus, 1978.

LAUNAY, Isabelle. "Laban, ou a experiência da dança". *Lições de Dança 1*, Rio de Janeiro, UniverCidade, 1999, p. 73-89.

LEMINSKI, Paulo. *Melhores poemas de Paulo Leminski*. São Paulo: Global, 1996.

LEVINE, Peter; FREDERICK, Ann. *O despertar do tigre: curando o trauma*. São Paulo: Summus, 1999.

MARQUES, Isabel A. *Ensino de dança hoje: textos e contextos*. São Paulo: Cortez, 1999.

NAVAS, Cássia; DIAS, Linneu. *Dança moderna*. São Paulo: Secretaria Municipal de Cultura, 1992.

NEVES, Neide. *O movimento como processo evolutivo gerador de comunicação – Técnica Klauss Vianna*. Dissertação (mestrado em Dança), Pontifícia Universidade Católica de São Paulo (SP), 2004.

PESSOA, Fernando. *O eu profundo e os outros eus*. Rio de Janeiro: Nova Fronteira, 1980.

QUEIROZ, Clélia F. P. de. *Cartilha desarrumada: circuitações e trânsitos em Klauss Vianna*. Dissertação (mestrado em Dança), Pontifícia Universidade Católica de São Paulo (SP), 2001.

RENGEL, Lenira. *Dicionário Laban*. São Paulo: Annablume, 2003.

RUBIN, Nani. "Angel Vianna: escultora de ossos e músculos". *Revista Gesto*, Rio de Janeiro, dez. 2002, p. 54-57.

SANT'ANNA, Denise B. *Corpos de passagem: ensaios sobre a subjetividade contemporânea*. São Paulo: Estação Liberdade, 2001.

SILVEIRA, Nise da. *Jung: vida e obra*. Rio de Janeiro: Paz e Terra, 1981.

STRAZZACAPPA, Márcia; MORANDI, Carla. *Entre a arte e a docência: a formação do artista da dança*. Campinas: Papirus, 2006.

TAVARES, Maria da Consolação G. C. F. *Imagem corporal: conceito e desenvolvimento*. Barueri: Manole, 2003.

TEIXEIRA, Letícia. "Angel Vianna: a construção de um corpo". *Lições de Dança 2*, Rio de Janeiro, UniverCidade, 2000, p. 247-64.

VIANNA, Klauss. *A dança*. São Paulo: Summus, 2005.

VIANNA, Patrícia; REZENDE, Luciana. *Klausiando – Nos caminhos da dança*. Dissertação (mestrado em Dança), Pontifícia Universidade Católica de Campinas, Campinas (SP), 1992.

WIRHED, Rolf. *Atlas de anatomia do movimento*. Barueri: Manole, 1986.

WOODRUFF, Dianne. "Treinamento na dança: visões mecanicistas e holísticas". *Estudos do Corpo*. Cadernos do Gipe-CIT, n. 2, nov. 1998, p. 31-39.

Videografia

NAVAS, Cássia; CASALI, E. *Memória presente: Klauss Vianna*. São Paulo (SP), 1992.

MILLER, Jussara. *Ciclo Klauss Vianna*. Campinas (SP), 2002.

CRÉDITOS DAS IMAGENS

PÁGINAS 11 e 17
Estudo dos pés • Fotos: Christian Laszlo.

PÁGINA 30
Klauss Vianna • Foto: Luludi/AE.
Angel Vianna • Foto: Christian Laszlo.
Rainer Vianna • Foto: Juvenal Pereira.

PÁGINA 38
Aula de Angel Vianna, 2002 – Ciclo Klauss Vianna, Campinas (SP) • Foto: Christian Laszlo.

PÁGINA 48
Aula de Jussara Miller, 2004 – Salão do Movimento, Campinas (SP) • Foto: Milene Suzano.

PÁGINAS 62 a 83
Desenhos. Técnica mista • Artista plástico: Bukke Reis.

PÁGINAS 86 e 90
Ensaio: Corpo sentado, 2004 – Salão do Movimento, Campinas (SP) • Fotos: Milene Suzano.

PÁGINA 92
Corpos de rua, 1995 – Centro Cultural São Paulo e Confraria da Dança, Campinas (SP).
• 1ª foto: Eduardo Bittencourt.
• 2ª foto: Gil Grossi.

Página 93

Arquitentar, 1997 – Confraria da Dança, Campinas (SP) • Fotos: Eduardo Bittencourt.

Página 94

Cacos de louça acaso quebrada, 2000 – Sesc Pompeia, São Paulo, e Sesc Campinas (SP).
• 1ª foto: Aroldo Berçot.
• 2ª foto: Christian Laszlo.

Páginas 97 a 100

Ensaio: Corpo sentado, 2004 – Salão do Movimento, Campinas (SP) • Fotos: Milene Suzano.

Páginas 105 a 108

Corpo sentado, 2006 – Sesc Consolação, São Paulo (SP) • Fotos: Christian Laszlo.

Página 117

Declaro ação, 1990 • Foto: Fernando Laszlo.

AGRADECIMENTOS

A Klauss Vianna, o mestre, pelos ensinamentos para sempre.

A Angel Vianna, a mestra, por sua generosidade de sempre nos orientar nos caminhos da dança.

A Neide Neves, pelas conversas esclarecedoras, pela leitura atenciosa do trabalho e por impulsionar a publicação deste livro.

A Marília Vieira Soares, por acreditar na pesquisa e abrir portas.

A Márcia Strazzacappa, pelo acolhimento que foi determinante neste trabalho.

A Christian, com amor, pelas fotos e pelo privilégio de caminharmos juntos em situações diversas e adversas; e a nossas filhas, Cora e Elis, que me deram a bênção da maternidade – a qual diariamente me faz crescer.

A minha mãe, Diva Miller, por incentivar minhas escolhas desde o início.

A Bukke Reis, por seus desenhos vivenciados em movimento.

A Eliana Kefalás Oliveira, a Lica, pela revisão cuidadosa do texto, proporcionando fluência ao corpo da palavra.

A Marinês Calori, por ter compartilhado muitos "vamos!" nos anos de parceria na dança.

A Ivana Cubas, pela criatividade e dedicação a este trabalho.

Aos meus alunos do Salão do Movimento, de 5 a 85 anos, pelo prazer da busca e por me ensinarem a aprender.

A todos os que contribuem para o desenvolvimento da técnica, com suas vivências e experimentações.

Grupo Summus
www.gruposummus.com.br
www.gruposummus.com.br
Acesse, conheça o nosso catálogo e cadastre-se para receber informações sobre os lançamentos.

www.gruposummus.com.br